Cofiant Noel Davies

MAESTRO

A biography of Noel Davies

Cofiant Noel Davies

MAESTRO

A biography of Noel Davies

Eric Jones

Gomer

Er cof am Noel Davies

In memory of Noel Davies

Cyhoeddwyd yn 2007 gan
Wasg Gomer, Llandysul, Ceredigion SA44 4JL

ISBN 978 1 84323 852 2

Dymuna'r cyhoeddwyr gydnabod cymorth
Cyngor Llyfrau Cymru.

Argraffwyd a rhwymwyd yng Nghymru gan
Wasg Gomer, Llandysul, Ceredigion

CONTENTS / CYNNWYS

ACKNOWLEDGEMENTS

During the preparation of this volume I have been indebted to many for their enthusiastic assistance and support.

For sharing personal recollections of Noel Davies, I wish to thank the following:

His childhood:	Jac Jones, Brian Quick
Secondary school days:	Alun Evans, Owen Hughes, William Hallett, Islwyn Davies
Pontarddulais Youth Centre:	Phil Jones, Mayberry Evans, Bryn Jenkins, Brian Hopkin
Coleg Harlech:	Dr Meredydd Evans, and also Rhiannon Goldthorpe and Rhodri Jeffreys Jones for further information on members of staff during the period spent by Noel and Joan at the College.

Over a period of almost half a century, many officers of Côr Meibion Pontarddulais have worked diligently to record minutes of meetings and events involving the choir, and I have benefited greatly from their labours. I thank each and every one of them, but particularly John Davies, Alun Davies, Winston Price, Howard Lewis, Mansel Jenkins, John Gronow, Brian Cousins, Ian Lloyd and the choir's present conscientious secretary, Lyn Anthony. In addition, I wish to acknowledge the enthusiastic cooperation of Noel Davies's successor as the choir's conductor, Clive Phillips.

The history of the choir has been formally documented in two publications: firstly, in *Chronicled History 1960–72* by John Davies and, secondly, in the late Professor Ieuan Williams's book, *Côr Meibion Pontarddulais* (1985). Both have proved to be invaluable sources for me.

For recollections of those individuals involved with other choirs, I thank Eirian Owen, Judith Land, David B. Jones, Ken Wheeler, John H. Lewis and Shelley Thomas Brown. Thanks again to Eirian and also to Gareth Glyn for permission to quote from correspondence to Noel.

DIOLCHIADAU

Wrth baratoi'r cofiant hwn, bûm yn ddyledus i lawer am eu cymorth parod.
Am rannu atgofion personol am Noel Davies, dymunaf ddiolch i'r canlynol:

Cyfnod ei blentyndod:	Jac Jones, Brian Quick
Ei ddyddiau yn yr ysgol uwchradd:	Alun Evans, Owen Hughes, William Hallett, Islwyn Davies
Canolfan Ieuenctid Pontarddulais:	Phil Jones, Mayberry Evans, Bryn Jenkins, Brian Hopkin
Coleg Harlech:	Dr Meredydd Evans, a hefyd i Rhiannon Goldthorpe a Rhodri Jeffreys Jones am wybodaeth bellach am aelodau o staff yn ystod cyfnod Noel a Joan yn y Coleg.

Dros hanner canrif, bron, bu nifer o swyddogion Côr Meibion Pontarddulais yn rhyfeddol o ddiwyd yn cofnodi cyfarfodydd a digwyddiadau ar hyd y daith, ac yr wyf wedi elwa tipyn o'u llafur. Diolchaf i bob un ohonynt yn ddiwahân, ond yn arbennig i John Davies, Alun Davies, Winston Price, Howard Lewis, Mansel Jenkins, John Gronow, Brian Cousins, Ian Lloyd ac ysgrifennydd gweithgar presennol y côr, Lyn Anthony. Yn ogystal, dymunaf gydnabod cydweithrediad parod olynydd Noel Davies fel arweinydd y côr, sef Clive Phillips.

Cofnodwyd hanes y côr ddwywaith yn swyddogol: yn gyntaf yn y *Chronicled History 1960–72* gan John Davies, ac yn ail yn llyfr y diweddar Athro Ieuan Williams, *Côr Meibion Pontarddulais* (1985). Bu'r ddwy gyfrol yn ffynonellau gwerthfawr iawn i mi.

Am atgofion gan bobl sydd â chysylltiad â chorau eraill, diolchaf i Eirian Owen, Judith Land, David B. Jones, Ken Wheeler, John H. Lewis a Shelley Thomas Brown. Diolch i Eirian eto ac i Gareth Glyn am ganiatâd i ddyfynnu o'u llythyron at Noel.

I am also indebted to the following:

From the world of broadcasting:	Huw Llewelyn Davies, Tomos Morse, Bethan Anwyl
The National Eisteddfod:	Hywel Wyn Edwards, Heulwen Jones
Coleg Harlech:	Delyth Heath
Trinity College, Carmarthen:	Elin Bishop
Royal Academy of Music, London:	Bridget Palmer
Old Gowertonian Society:	Valerie Richards, Robert Evans

Noel was godfather to Gillian Evans, daughter of his lifelong friend, Alun Evans, and I thank her most sincerely for her continuous support, and in particular for providing me with various relevant papers, documents, letters and photographs bequeathed to her following Noel's death.

For family support with proofreading, and for many valuable suggestions, my thanks go to Gwen, like me a friend to Noel, and a former colleague of his at Killay Primary School. Thanks also go to Meinir for her considerable assistance.

Finally, I wish to acknowledge my appreciation of the professionalism of three of Gwasg Gomer's staff, for their guidance, patience and wise advice. I am greatly indebted to Rhiannon Davies, Mairwen Prys Jones and Bethan Mair.

Rwyf hefyd yn ddyledus i'r canlynol:

O'r byd darlledu:	Huw Llewelyn Davies, Tomos Morse, Bethan Anwyl
Yr Eisteddfod Genedlaethol:	Hywel Wyn Edwards, Heulwen Jones
Coleg Harlech:	Delyth Heath
Coleg Y Drindod, Caerfyrddin:	Elin Bishop
Yr Academi Gerdd Frenhinol, Llundain:	Bridget Palmer
Old Gowertonian Society:	Valerie Richards, Robert Evans

Yr oedd Noel yn dad bedydd i Gillian Evans, merch ei gyfaill oes, Alun Evans, a diolchaf yn ddiffuant iawn iddi hithau am nifer o gymwynasau, gan gynnwys rhyddhau i'm meddiant nifer o bapurau, dogfennau, llythyrau a lluniau perthnasol a etifeddwyd ganddi yn dilyn marwolaeth Noel.

Am gymorth teuluol gyda'r proflenni ac am sawl awgrym gwerthfawr, diolch i Gwen, ffrind fel minnau i Noel, a chyn-gydweithwraig iddo yn Ysgol Cilâ. Yn yr un modd, diolch i Meinir hefyd am ei chymorth hithau.

Yn olaf, carwn ddatgan fy ngwerthfawrogiad o broffesiynoldeb tair o Wasg Gomer am eu harweiniad, eu hamynedd a'u cyngor doeth. Mae fy nyled i Rhiannon Davies, Mairwen Prys Jones a Bethan Mair yn fawr.

PREFACE

Summer 2003, and the school holidays offered an opportunity once more to relax a little and escape, on this occasion to the beautiful and peaceful island of Madeira in the Atlantic Ocean. I return to the hotel in order to avoid the intense heat of the sun, after a morning walking the famous *levadas*. A text message from faraway Wales, like a thunderbolt: 'Noel has passed away suddenly'.

Noel Davies had resigned as conductor of the Pontarddulais Male Choir in July 2002 after a period of 41 years at the helm. He had been installed as the Choir's President and Conductor Emeritus, and he had begun to enjoy his position as an elder statesman, attending the occasional rehearsal and concert. It was everyone's wish that this relationship would continue for a long time to come, but only a year after his retirement as the conductor of the choir, he had died peacefully in his armchair on 2 August 2003, as he watched the first television broadcasts from the Meifod National Eisteddfod. He was seventy-five years old.

His wife, Joan, had died over two years earlier, after prolonged suffering from the cruel illness of Alzheimer's. They had no children, and Noel himself had been an only child. His family were the members of his choir, and amongst them were several close friends, some since schooldays. One of those was Alun Evans, who had been a faithful member of the choir, and Noel was the godfather of his daughter, Gillian.

Funeral arrangements fell to Gill and Noel's close friends in the choir, and I shortly received a request to present the eulogy in the funeral – as one who had worked with Noel as an accompanist for years, and as a Life Member of the choir. Also, my wife Gwen had been a member of Noel's staff in Killay Primary School, Swansea, for eight years at the beginning of her teaching career. Paying the final tribute would be a very sad duty, but also a privilege and an honour.

Madeira is a holiday island, easy to get to and to leave on charter aircraft, but having to get away quickly presents problems.

RHAGAIR

Haf 2003, a gwyliau'r ysgol yn cynnig cyfle unwaith eto i ymlacio ychydig, a ffoi y tro hwn i ynys brydferth a thawel Madeira ym Môr yr Iwerydd. Dychwelyd i'r gwesty er mwyn osgoi'r haul tanbaid ar ôl bore o gerdded y *levadas* enwog, a chael neges destun o Gymru bell, fel ergyd o wn – 'Noel wedi marw'n sydyn'.

Roedd Noel Davies wedi ymddeol fel arweinydd Côr Meibion Pontarddulais ym mis Gorffennaf 2002 ar ôl cyfnod o 41 o flynyddoedd wrth y llyw. Fe'i gwnaethpwyd yn Llywydd ac Arweinydd Emeritws y Côr, ac roedd wedi dechrau mwynhau ei statws fel hynafgwr, gan ymweld ag ambell ymarfer a theithio'n achlysurol gyda'r côr i gyngherddau. Dymuniad pawb oedd y byddai'r berthynas honno'n parhau am flynyddoedd lawer i ddod. Ond, flwyddyn yn unig wedi iddo ymddeol fel arweinydd y côr, bu farw Noel yn dawel wrth wylio darllediadau cyntaf Eisteddfod Genedlaethol Meifod ar y teledu, a hynny ar fore 2 Awst 2003. Roedd yn 75 mlwydd oed.

Bu farw Joan, ei wraig, dros ddwy flynedd cyn hynny, ar ôl dioddef am gyfnod hir o glefyd creulon Alzheimer. Ni chawsant blant, ac roedd Noel ei hun yn unig blentyn. Ei deulu oedd aelodau'r côr, ac yn eu plith roedd sawl ffrind agos, ambell un ohonynt yn ffrind ers dyddiau ysgol. Un o'r rhai hynny oedd Alun Evans, a fu'n aelod ffyddlon o'r côr, ac roedd Noel yn dad bedydd i'w ferch, Gillian.

Gill a ffrindiau agosaf Noel o blith aelodau'r côr oedd yn gyfrifol am drefniadau'r angladd, ac yn fuan daeth y cais i mi gyflwyno'r deyrnged, fel un a gydweithiodd â Noel fel cyfeilydd am flynyddoedd ac fel Aelod am Oes o'r côr. Hefyd bu Gwen, fy ngwraig, yn aelod o staff Noel yn Ysgol Cilâ, Abertawe, am wyth mlynedd ar ddechrau ei gyrfa fel athrawes. Gorchwyl trist iawn fyddai talu'r deyrnged olaf, ond fe fyddai hefyd yn fraint ac yn anrhydedd.

Ynys gwyliau yw Madeira, ynys sy'n hwylus i'w chyrraedd ac ymadael â hi ar awyrennau siarter, ond os oes eisiau gadael ar frys

11

Even so, I succeeded in arriving at the Bont a day or two before the choir achieved their twelfth victory at the National, and the first under the direction of their new conductor, Clive Phillips. Alas, Noel had not lived to witness the continuation of the remarkable competitive success of his choir. The victory was dedicated to his memory, but any celebrations were forgotten as the choir returned home to sing in the funeral of their founder. As expected, St Catherine's Church, Gorseinon, was full to overflowing on Monday, 11 August 2003, as was the crematorium later.

The obvious legacy left by Noel, of course, is his famous choir, which continues to reflect the highest possible standards in concerts and competitive festivals, and Clive Phillips is the first to acknowledge his debt to the founder and the architect who built such a mighty choir.

The choir realised that the most fitting memorial for Noel Davies would be a concert held every year as a tribute, and the series began in 2004. Gillian Evans decided to commemorate Noel's long relationship with the National Eisteddfod by presenting a new trophy annually, in memory of her godfather, to the winning conductor of 'Côr yr Ŵyl', the best choir from all choral competitions held during eisteddfod week. The first was presented at Swansea in 2006 and, in one of those happy coincidences that only occur rarely, the trophy was presented to Clive Phillips, conductor of 'Côr yr Ŵyl' – Côr Meibion Pontarddulais.

This biography is my own tribute to a notable choral conductor, and to a friend.

Eric Jones
September 2007

gall fod dipyn yn fwy heriol. Serch hynny, llwyddais i gyrraedd y Bont ddiwrnod neu ddau cyn i'r côr ennill am y deuddegfed tro yn y Genedlaethol, a'r tro cyntaf iddynt wneud hynny o dan arweiniad eu cyfarwyddwr cerdd newydd, Clive Phillips. Ysywaeth, ni chafodd Noel fyw i dystio i barhad llwyddiant cystadleuol rhyfeddol ei gôr. Cyflwynwyd y fuddugoliaeth er cof amdano, ond anghofiwyd am unrhyw ddathlu wrth i'r côr ddychwelyd adref i ganu yn angladd ei sylfaenydd. Yn ôl y disgwyl, yr oedd Eglwys y Santes Catrin yng Ngorseinon dan ei sang ar ddydd Llun, 11 Awst 2003, ac felly hefyd yr amlosgfa wedi hynny.

Y cymynrodd amlwg a adawyd gan Noel wrth gwrs yw ei gôr enwog, sydd yn dal i arddel y safonau uchaf posib mewn cyngherddau a gwyliau cystadleuol, a Clive Phillips yw'r cyntaf i gydnabod ei ddyled yntau i'r sylfaenydd a'r pensaer a adeiladodd gôr mor rymus.

Sylweddolodd y côr mai'r goffadwriaeth fwyaf addas i Noel Davies fyddai cyngerdd i'w gynnal bob blwyddyn fel teyrnged iddo, ac fe gafwyd y cyntaf ohonynt yn 2004. Penderfynodd Gillian Evans goffáu cysylltiad hir Noel â'r Eisteddfod Genedlaethol trwy gyflwyno tlws arbennig, o'r newydd bob blwyddyn, i arweinydd buddugol Côr yr Ŵyl, er cof am ei thad bedydd. Cyflwynwyd y cyntaf yn Abertawe yn 2006, ac yn un o'r cyd-ddigwyddiadau rhyfedd a phrin, ond hapus hynny nas ceir yn aml, cyflwynwyd y tlws i Clive Phillips, arweinydd Côr yr Ŵyl, sef Côr Meibion Pontarddulais.

Y gyfrol hon yw fy nheyrnged innau i arweinydd corawl nodedig, ac i ffrind.

Eric Jones
Medi 2007

CHILDHOOD AND SCHOOL DAYS

On 6 January 1928 a son was born to Daniel and Myfanwy Davies in the Swansea Valley village of Ynysmeudwy – colloquially known as 'Smutw' to the locals. With due deference to the time of year he was given the appropriate Christian names, Noel Gwyn. Daniel was a collier who hailed from the village of Grovesend some two miles outside Pontarddulais, whereas Myfanwy was from the little hamlet of Tareni, near Godre'r Graig. Like many other working-class couples, they displayed remarkable confidence in beginning to establish a family within months only of the general strike of 1926, which had decimated the hopes of miners for fairer working conditions and a wage which properly reflected their endeavours and the dangers of the pit. It was probably the intention of Daniel and Myfanwy to have a brood of children, but Noel Gwyn was to be an only child.

The little family moved to Waun-gron for a short time before eventually settling in Maes-yr-haf, High Street, Grovesend. Daniel was easily able to walk to the nearby Mountain Colliery and, in accordance with the family norm of that period, Myfanwy set about her work as a housewife. Noel became a pupil at the local school, only a stone's throw from his home. It was easy also for the family to walk across the common back to Waun-gron on Sundays in order to worship in the small chapel of Seion, the spiritual home of Daniel's family. Grovesend was a small, close-knit community, and the life of a child was doubtlessly carefree: he would hardly comprehend, or even be aware of, the material poverty that certainly surrounded him. In her new community Noel's mother was known as either 'Mrs Davies Dan' or 'Anti Fanw', and his father as 'Dan Gwynfryn' after the name of the family home where

PLENTYNDOD A CHYFNOD YSGOL

Ar 6 Ionawr 1928, fe anwyd mab i Daniel a Myfanwy Davies yn Ynysmeudwy, Cwm Tawe – 'Smutw' yn nhafodiaith y brodorion. O ystyried yr adeg o'r flwyddyn, rhoddwyd iddo'r enwau bedydd priodol, Noel Gwyn. Colier oedd Daniel, yn hanu o bentref Pengelli'r Drain, rhyw ddwy filltir y tu allan i Bontarddulais, tra oedd Myfanwy yn un o ferched pentrefan bychan Tareni, ger Godre'r Graig. Fel sawl pâr priod ifanc, dosbarth gweithiol y cyfnod, dangosent hyder rhyfeddol wrth ddechrau sefydlu teulu, a hynny prin fisoedd yn unig wedi streic genedlaethol 1926, pan chwalwyd gobeithion y glowyr am amodau gwaith tecach ynghyd â chyflog a adlewyrchai eu llafur a pheryglon y pwll. Hwyrach mai bwriad Daniel a Myfanwy oedd magu nythaid o blant, ond unig blentyn oedd Noel Gwyn.

Symudodd y teulu bach i Waun-gron am gyfnod byr cyn sefydlu ym Maes-yr-haf, Y Stryd Fawr, Pengelli'r Drain. Oddi yno gallai Daniel gerdded yn rhwydd i waith glo'r Mynydd gerllaw, ac yn unol â threfn deuluol y cyfnod, setlodd Myfanwy i'w gwaith fel gwraig tŷ. Maes o law aeth Noel i'r ysgol fach, dafliad carreg yn unig o'r cartref. Gallai'r teulu hefyd gerdded ar draws y comin yn ôl i Waun-gron ar y Sul er mwyn addoli yng nghapel bychan Seion, cartref ysbrydol teulu Daniel Davies. Cymuned fechan oedd Pengelli, a'r gymdeithas yn un hynod glòs, a bywyd plentyn yn felys gan na fyddai'n ymwybodol nac yn amgyffred y tlodi materol affwysol oedd yn gwasgu o bob tu ar yr adeg honno. Roedd mam Noel yn cael ei hadnabod fel 'Mrs Davies Dan' neu Anti Fanw yn ei chymuned newydd, a'i dad fel 'Dan Gwynfryn', sef enw cartref y teulu lle cafodd ei fagu yn un o wyth o blant. Fel cynifer o lowyr, roedd Daniel yn arddwr o fri, ac etifeddodd Noel y diddordeb hwn.

he was brought up as one of eight children. Like many miners, Daniel was a noted gardener, an interest inherited by Noel.

Noel's childhood was characterised by a sense of joy and fun and the enjoyment of forming friendships with the children of the village; in the middle of frequent merriment there were the expected examples of mischief-making, but always in a healthy spirit. One of his closest friends at that time, and indeed throughout his life, was Jac Jones, who had migrated to Grovesend with his family from Somerset at the age of eight as a monoglot English-speaker. Of necessity, his linguistic situation quickly changed, Welsh being the naturally spoken language of the area, and Jac went on to play a significant part in the cultural life of the community and that of south Wales in general. He is remembered, for example, as one of the eloquent stage presenters of the Miners' Eisteddfod in Porthcawl over a period of many years. As young friends in Grovesend, with the turn of each year, the pair enjoyed wandering the streets in order to 'sing in' the New Year. Noel wore a thick cap and, because of problems with his sight which he had suffered from birth, a pair of robust spectacles. One of the day's highlights was a visit to the bakery where they were rewarded with the gift of a delicious bun each. Such was their enjoyment of the proffered delicacies one year that they decided to return to the bakery, this time with Jac wearing his friend's cap and spectacles in the hope that they would be greeted as a completely different pair. The scam was easily spotted, of course, but in the middle of the ensuing laughter they were given an extra bun each for their cheek!

It came as no surprise that Noel's parents were keen to develop those musical talents that he had displayed from an early age. After all, Myfanwy with her rich alto voice had been one of the leading members of the Ammanford and District Choral Society, one of the large-scale choirs at the height of their success at the time. She sang with the Ammanford Choir in the National Eisteddfodau at Corwen (1919) and Barry (1920) when the choir, conducted by Gwilym R. Jones, won the chief competition for mixed choirs. Ammanford was the home of the National in 1922 and there, on 8 August, the choir

16

Hwyl, sbri a chyfeillgarwch a nodweddai ei blentyndod, ac yng nghanol y fath awyrgylch a rhialtwch ffynnai drygioni iach. Un o ffrindiau pennaf Noel bryd hynny, a thrwy gydol ei fywyd, oedd Jac Jones, un a fudodd i Bengelli gyda'i deulu o Wlad yr Haf yn grwt wyth mlwydd oed, ac yn uniaith Saesneg. Newidiodd sefyllfa ieithyddol Jac yn go gyflym gan mai Cymraeg oedd iaith naturiol yr ardal, a bu ei gyfraniad ymhen amser yn arwyddocaol iawn ym mywyd diwylliannol ei fro ac yn ne Cymru'n gyffredinol. Cofir amdano, er enghraifft, fel un o arweinyddion llwyfan huawdl Eisteddfod y Glowyr ym Mhorth-cawl am flynyddoedd lawer. Fel cyfeillion ifainc ym Mhengelli, byddai Noel a Jac yn hoff o grwydro'r strydoedd gyda throad pob blwyddyn i ganu calennig. Gwisgai Noel gap trwchus ar ei ben ac oherwydd problem gyda'i lygaid ers dydd ei eni, gwisgai sbectol sylweddol ar ei drwyn. Un o uchafbwyntiau'r diwrnod oedd ymweld â'r becws lle'r amlygid gwerthfawrogiad o'u canu drwy roddi bynen flasus yr un iddynt. Cymaint oedd eu mwynhad o'r danteithion un flwyddyn fel iddynt benderfynu dychwelyd i'r becws, y tro yma gyda Jac yn gwisgo cap a sbectol ei ffrind, yn y gobaith na fyddai'r gweithwyr yno'n eu hadnabod ac y derbynient groeso fel pâr hollol wahanol. Gwelwyd drwy'r twyll, wrth gwrs, ond yng nghanol y chwerthin cafodd y ddau fynen ychwanegol yr un am eu hyfdra!

Nid oedd yn syndod fod rhieni Noel yn awyddus i feithrin y talentau cerddorol a amlygwyd ganddo o oedran ifanc. Wedi'r cyfan, bu Myfanwy, a feddai ar lais alto cyfoethog, yn un o aelodau blaenllaw Cymdeithas Gorawl Rhydaman a'r Cylch, sef un o'r 'corau mawr' a oedd yn eu hanterth bryd hynny. Canodd gyda Chôr Rhydaman yn Eisteddfodau Cenedlaethol Corwen (1919) a'r Barri (1920) pan enillwyd y brif gystadleuaeth i gorau cymysg dan arweiniad Gwilym R. Jones. Rhydaman oedd cartref y Genedlaethol ym 1922 ac yno, ar 8 Awst, rhoddodd y côr o 350 o leisiau'r perfformiad cyhoeddus cyntaf yng Nghymru o'r Offeren yn B leiaf gan Bach, i gyfeiliant Cerddorfa Ffilharmonig Llundain. Gorchest sylweddol oedd hon o ystyried iddynt berfformio *Ein Deutsches Requiem,* Brahms, y noson cynt! Datblygodd elfen o gystadleuaeth

of 350 voices gave the first public performance in Wales of Bach's Mass in B minor, with the London Philharmonic Orchestra. It was a remarkable feat, following as it did their performance of Brahms's *Ein Deutsches Requiem* the previous evening! A strong degree of rivalry existed between the Ammanford choir and the Pontarddulais Choral Society, and ultimately it came as no surprise when Myfanwy joined the Bont choir, having by then settled in the area, with many friends and neighbours being members.

Myfanwy's father – Noel's grandfather – was also a noted singer, and a great friend to Tom Williams, composer of the hymn-tune 'Ebeneser' – or 'Tôn y Botel' as it is often called. They were fellow deacons in Mount Elim chapel in Pontardawe and after Noel's grandfather moved to live with the family in Grovesend, Tom Williams composed a hymn-tune in his honour, naming it 'Bethania', after the little local chapel now frequented by his friend.

With this kind of cultural background, Noel became aware very early on in his life of ambitious choral performances of oratorio and settings of the Latin mass, and also of high musical standards.

He also learned the importance of a charismatic conductor, the professional attitude, energy, enthusiasm and dedication needed to sustain the highest standards in the world of amateur music-making. In Ammanford Gwilym R. Jones and later Hywel G. Evans were the musical directors and in Pontarddulais the unique T. Haydn Thomas, who lived to the age of one hundred and seven. Although his choir's activities came to an end in the sixties of the last century, his mental faculties were as sharp as ever until his death in 2006.

The village piano teacher in Grovesend was Bill Herbert, a signalman by occupation on the line at Alltygraban, and it was to him that Noel went for his early lessons. It seems that Noel didn't take the development of technique too seriously, much preferring to launch himself into interesting improvisations. There was much leg-pulling in this context many years later. Friends and neighbours also derived a great deal of pleasure from informal music, often meeting in each other's homes in order to sing and play instruments. In the parlour of Maes-yr-haf stood an imposing and stately harmonium,

rhwng y côr hwnnw a Chymdeithas Gorawl Pontarddulais ac yn y pen draw nid oedd yn syndod bod Myfanwy wedi ymuno â 'Chôr Mawr' y Bont, a hithau bellach wedi ymgartrefu yn yr ardal a chymaint o'i ffrindiau a'i chymdogion yn aelodau ohono.

Roedd tad Myfanwy, tad-cu Noel, hefyd yn ganwr o fri ac yn ffrind mawr i Tom Williams, cyfansoddwr y dôn 'Ebeneser', neu 'Tôn y Botel' fel y'i gelwir yn aml. Roedd y ddau yn gydddiaconiaid yng nghapel Mynydd Elim ym Mhontardawe, ac ar ôl i dad-cu Noel symud i fyw gyda'r teulu i Bengelli, cyfansoddodd Tom Williams dôn er anrhydedd iddo, a rhoi iddi'r enw 'Bethania', sef enw'r capel bach lleol a fynychid bellach gan ei ffrind.

Gyda'r math yma o gefndir diwylliannol, daeth Noel felly yn ymwybodol yn ifanc iawn o safonau clodwiw'r 'Corau Mawr' hyn wrth iddynt gyflwyno gweithiau cerddorol estynedig o fyd yr oratorio a gosodiadau o'r offeren Ladin.

Daeth i wybod hefyd beth oedd arweinydd carismataidd a'r agwedd broffesiynol ym myd cerddoriaeth amatur; tystiodd i'r egni, y brwdfrydedd a'r ymroddiad a oedd yn angenrheidiol i gynnal y safonau uchaf hyn. Gwilym R. Jones ac yn ddiweddarach Hywel G. Evans fu wrth y llyw yn Rhydaman, a'r unigryw T. Haydn Thomas ym Mhontarddulais. Rhyfeddol yw nodi, er i weithgareddau côr T. Haydn Thomas ddirwyn i ben yn chwedegau'r ganrif ddiwethaf, iddo yntau fyw tan ei fod yn gant a saith mlwydd oed, a bod ei feddwl mor finiog ag erioed tan ei farwolaeth yn 2006.

Athro piano pentref Pengelli oedd Bill Herbert, dyn signal wrth ei waith bob dydd yn ei focs ar y rheilffordd yn Alltygraban, ac ato ef yr aeth Noel am ei wersi cynnar. Mae'n debyg nad oedd Noel yn cymryd datblygu techneg ormod o ddifrif, oherwydd chwarae'n fyrfyfyr fyddai'n mynd â'i fryd. Bu llawer o dynnu coes yn y cyddestun hwn flynyddoedd yn ddiweddarach. Câi trigolion y cyfnod bleser trwy gyfrwng cerddoriaeth anffurfiol hefyd, a byddai cymdogion a ffrindiau'n cwrdd yn rheolaidd yng nghartrefi ei gilydd i ganu a chwarae offerynnau. Ym mharlwr Maes-yr-haf safai clamp o harmoniwm urddasol, ac nid oedd dim yn rhoi mwy o bleser i Noel na chael y cyfle, yng nghwmni ei ffrindiau, i chwarae

and nothing pleased Noel more than treating his friends to some boogie-woogie on it! There was a revolutionary attempt to use the electrical innards of a Hoover in order to blow life into the instrument, thus conserving the energy used to pump the pedals with the feet, but the experiment proved futile when Myfanwy Davies discovered the intent!

The music heard on the harmonium in Seion, Waun-gron, would doubtless have been of a more sober variety, but in his early teens Noel began to attend church services, the power of the organ in the worship probably adding to the appeal. At that time, with his interest in church music increasing, there was some talk of the eventual possibility of his taking orders. Nothing came of this, but nevertheless he soon left Nonconformism for the Church, at first attending the imposing church of St Catherine's in Gorseinon. This possibly explains one of his nicknames, favoured by his friends at this time – 'Parch' (Reverend)! Later in life, Noel became a sidesman and parochial church councillor at St Paul's Church, Gorseinon.

Initially, he failed to secure a place in the county school, and he commenced his secondary education in Pontarddulais, in a building that was to become a central focal point in his life as an adult. His music teacher there was Levi Hopkin, one of the area's gifted musicians who contributed greatly to the musical culture of the locality. Interestingly, a little time later Levi Hopkin formed a male-voice choir in the Bont with some forty members, and the choir performed many concerts for local organisations and societies between 1945 and 1952. Anyone looking back at the history of choirs in Pontarddulais and district could easily become confused, because in the 1920s there existed a Glandulais Male Choir conducted by (more confusion) Noah Davies. Years later a different Côr Glandulais was formed, a mixed choir still in existence today, and Levi Hopkin had conducted this choir too in their early days. We shall return to Côr Glandulais at a later stage.

Levi Hopkin had very little time indeed to influence the young Noel Davies musically, as the pupil was given the opportunity of transferring to the county school at Gowerton, where he

boogie-woogie arno! Gwnaed ymgais chwyldroadol unwaith i ddefnyddio perfedd trydanol Hoover i chwythu bywyd i'r offeryn, gan arbed egni pwmpio'r pedalau gyda'r traed, ond ofer y bu'r arbrawf wedi i Myfanwy Davies ddarganfod y bwriad! Hwyrach mai cerddoriaeth ychydig yn fwy syber a glywid ar harmoniwm Seion, Waun-gron. Ond yn ei arddegau cynnar dechreuodd Noel fynychu gwasanaethau eglwysig, ac roedd grym yr organ yn y mawl o leiaf yn rhan o'r apêl. Gyda'i ddiddordeb mewn cerddoriaeth eglwysig yn tyfu, bu'n sôn yn y cyfnod hwnnw am fynd yn offeiriad hyd yn oed, ac er na wireddwyd mo hynny, gadawodd fyd Anghydffurfiaeth maes o law a symud i'r eglwys i addoli, yn y lle cyntaf i eglwys fawreddog Santes Catrin yng Ngorseinon. Hwyrach fod hyn yn esbonio un llyscnw oedd ganddo ar y pryd ymhlith ei ffrindiau, sef 'Parch'! Fel oedolyn, bu Noel yn ystlyswr ac yn gynghorydd eglwys y plwyf yn Eglwys Sant Paul yng Ngorseinon.

Methodd ennill lle yn yr ysgol sirol yn wreiddiol, a chychwynnodd ar ei addysg uwchradd ym Mhontarddulais, mewn adeilad a ddaeth yn fangre ganolog yn ei fywyd fel oedolyn. Ei athro Cerdd yno oedd Levi Hopkin, un o gerddorion dawnus y fro ac un a gyfrannodd yn helaeth i ddiwylliant cerddorol yr ardal. Yn ddiddorol, ymhen amser, ffurfiodd Levi Hopkin gôr meibion yn y Bont gyda thua deugain o gantorion, a bu'r côr yn brysur yn cynnal cyngherddau i fudiadau a chymdeithasau lleol rhwng 1945 a 1952. Hawdd iawn fyddai i unrhyw un ddrysu wrth edrych yn ôl ar hanes corau Pontarddulais a'r cylch, oherwydd yn y 1920au roedd Côr Meibion Glandulais yn bodoli ac yn cynnal cyngherddau dan arweiniad (mwy o ddryswch eto) Noah Davies. Flynyddoedd wedi hyn ffurfiwyd Côr Glandulais gwahanol, sef côr cymysg sydd yn dal mewn bodolaeth heddiw, a bu Levi Hopkin yn arweinydd y côr hwnnw hefyd am gyfnod ar y dechrau. Cawn glywed mwy am Gôr Glandulais yn ddiweddarach yn y cofiant hwn.

Prin flwyddyn a gafodd Levi Hopkin i ddylanwadu'n gerddorol ar y Noel Davies ifanc oherwydd i'r disgybl gael y cyfle i drosglwyddo i Ysgol Sirol y Bechgyn, Tre-gŵyr, gan gychwyn yno

commenced his education on 19 August 1940. The unusual date is explained by the unique set of circumstances prevailing at the time, months only after the outbreak of the Second World War. The situation in the school was dire, to say the least. Until 1939 the school had been a mixed one for boys and girls, but such had been the increase in pupil numbers that a decision was made to erect a new building for the girls. With the coming of the war, before opening officially, the new building was used for a time by the military and after that by more than two hundred girls from the Notre Dame Catholic School of Liverpool who were fleeing the incessant bombing of that city. The consequence of the upheaval was the postponement of the opening of Gowerton Girls' School for local pupils until May 1940. Worse was to follow after the French capitulation to the Nazi forces: once again a school from Kent was transferred to the Pen-clawdd area, attending the Gowerton schools for their lessons. However, by this time Swansea was suffering as much as anywhere from the German bombing missions, and only after a week the Kent children were moved to the comparative safety of Carmarthen. With such remarkable disruption, it came as no surprise when the authorities announced that, because so much teaching time had been lost, the term would commence a fortnight earlier than usual. As he transferred to Gowerton, then, Noel Davies lost a fortnight of his holidays, but this was nothing in comparison with the general upheaval caused by the war.

At Gowerton English was the linguistic medium of the education, but Welsh was the language spoken by the majority of boys coming from the northern parts of the catchment area. In 1973 a book was published to celebrate the school's seventy-fifth anniversary, entitled *Something Attempted, Something Done.* In his chapter 'The Welsh language at Gowerton' Hugh Bridgewater says of the 1930s and 1940s:

. . . the days when one saw (and heard) the boys and girls of Pontarddulais making for the railway station in Gowerton after their day in school on their way home to their

ar 19 Awst 1940. Esbonnir y dyddiad anarferol gan yr amgylchiadau unigryw a fodolai ar y pryd, fisoedd yn unig ar ôl dechrau'r Ail Ryfel Byd. Anodd, a dweud y lleiaf, oedd y sefyllfa yn yr ysgol. Hyd at 1939 yr oedd yr ysgol yn ysgol gymysg ar gyfer bechgyn a merched, ond cymaint fu'r twf yn y niferoedd fel y penderfynwyd adeiladu ysgol newydd i'r merched. Gyda dyfodiad y rhyfel, defnyddiwyd yr adeiladau newydd gan filwyr am gyfnod, ac wedi hynny gan ddau gant a mwy o ferched Ysgol Gatholig Notre Dame, Lerpwl, a oedd wedi ffoi o'r bomio cyson ar y ddinas honno. Canlyniad yr anhrefn a gafwyd yn y cyfnod hwn oedd gohirio agor Ysgol Merched Tre-gŵyr i'r disgyblion lleol tan fis Mai 1940. Roedd gwaeth i ddod yn dilyn cwymp Ffrainc i'r Natsïaid, ac unwaith eto trosglwyddwyd disgyblion ysgol o Gaint i ardal Pen-clawdd yn yr haf a mynychent hwy ysgolion Tre-gŵyr. Ond erbyn hyn roedd y bomiau'n disgyn yn ffyrnig ar Abertawe a'r cyffiniau, ac ar ôl prin wythnos symudwyd y disgyblion a ddaethai o Loegr i ddiogelwch cymharol Caerfyrddin. Gyda'r holl gythrwfl hwn, penderfynodd yr awdurdodau mai doeth fyddai cychwyn tymor yr hydref bythefnos yn gynt na'r arfer, gan fod cymaint o amser addysg wedi ei golli. Wrth iddo drosglwyddo i Dre-gŵyr, felly, collodd Noel Davies bythefnos o'i wyliau haf, ond nid oedd hynny'n ddim o'i gymharu â'r cynnwrf cyffredinol a ddaeth yn sgil y rhyfel.

Saesneg oedd cyfrwng yr addysg yn Ysgol Tre-gŵyr ond Cymraeg a siaredid yn gymdeithasol gan fwyafrif bechgyn gogledd y dalgylch. Cyhoeddwyd llyfr ym 1973 i ddathlu tri chwarter canmlwyddiant yr ysgol, dan y teitl *Something Attempted, Something Done*. Yn ei bennod 'Newid Ddaeth o Rod i Rod', dywed Hugh Bridgewater, wrth sôn am y 1930au a'r 1940au:

> ... y dyddiau hynny pan welid (a chlywid) bechgyn a merched Pontarddulais yn tyrru yn un haid i orsaf pentref Gowerton ar ddiwedd eu dydd gwaith i ddal eu trên yn ôl i'w hoff 'Bont' – a Chymraeg oedd eu hiaith, bron bob un. Byddai'r un peth yn wir i raddau llai am fechgyn a merched

incomparable 'Bont', and Welsh was the language of expression for almost every one. The same would be true to a lesser degree of the boys and girls of Gorseinon and Loughor, Penyrheol and Pen-clawdd, but it was Pontarddulais and Garnswllt, Pont-lliw, Llangyfelach and Waun-gron that were the true sources of Welsh pupils.

An impossible problem to resolve was the constant to-ing and fro-ing of staff because of the war. This would surely have had a detrimental effect on the general education of the pupils. In 1937, when the school was a mixed establishment for boys and girls, there were about thirty teachers. By the end of the war only half a dozen of these were still there; but, and this is a very significant 'but', one of them was Cynwyd K. Watkins, Head of the Music Department. Here was a man of unprecedented vision in the context of music education. After arriving at the school in 1930, he immediately began to build further on the existing musical tradition there, establishing one of the leading and most pioneering music departments in Wales – and that in days when music was not considered to be a 'subject of importance' in secondary schools.

By the time the young Noel Davies arrived at Gowerton, a full symphony orchestra was flourishing there, regularly performing within and outside the school, and there was a rich variety of other musical activities. Bearing in mind that no school employed peripatetic instrumental teachers until at least 1950, what was happening at Gowerton was all the more remarkable. With the unofficial assistance of some local musicians, Cynwyd Watkins painstakingly tutored the boys during the lunch-hour. As senior pupils developed greater confidence, they in turn were called upon to tutor younger instrumentalists, and so it went on. After a short period on the violin, it was suggested that Noel should take up the viola, and he began getting to grips with the alto clef for the first time. But his relationship with that instrument was short-lived – it was possibly too much of a 'filling-in' instrument in the middle of the orchestral texture. The double bass would be far more exciting – an instrument

24

Gorseinon a Chasllwchwr a Phenyrheol a Phen-clawdd – ond Pontarddulais a Garnswllt a Phont-lliw a Llangyfelach a Waun-gron oedd gwir darddle'r Cymry.

Problem ddyrys nad oedd modd gwneud unrhyw beth yn ei chylch oedd mynd a dod aelodau staff oherwydd y rhyfel. Cafodd hyn, mae'n rhaid, effaith andwyol ar addysg gyffredinol y disgyblion. Ym 1937 pan oedd bechgyn a merched yn mynychu'r ysgol, roedd yno oddeutu 30 o athrawon. Erbyn diwedd y rhyfel, dim ond hanner dwsin o'r rhain oedd yn dal yno; ond, ac mae hwn yn 'ond' sylweddol, un ohonynt oedd Cynwyd K. Watkins, Pennaeth yr Adran Gerdd. Gŵr o weledigaeth ryfeddol oedd Cynwyd Watkins yng nghyd-destun addysg gerddorol, ac ar ôl cyrraedd yr ysgol ym 1930 llwyddodd i adeiladu ymhellach ar ei thraddodiad cerddorol gan sefydlu un o'r adrannau mwyaf blaenllaw ac arloesol yn holl ysgolion uwchradd Cymru ar y pryd, a hynny mewn cyfnod pan nad ystyriwyd cerdd yn 'bwnc o bwys'.

Erbyn i'r Noel Davies ifanc gyrraedd Tre-gŵyr, roedd cerddorfa symffoni lawn o safon yn bodoli yno, a byddai'n perffformio'n rheolaidd oddi mewn a thu allan i'r ysgol. Yn ogystal â hyn, cafwyd yno weithgareddau cerddorol amrywiol eraill o arwyddocâd sylweddol. Ni welwyd athro teithiol Cerdd mewn unrhyw ysgol tan o leiaf 1950, ac felly mae'r hyn a ddigwyddodd yn Nhre-gŵyr yn peri mwy fyth o syndod. Gyda chymorth anffurfiol ambell gerddor lleol bwriodd Cynwyd Watkins ati i hyfforddi yn ystod yr awr ginio. Wrth i'r disgyblion hŷn fagu hyder a pherffeithio techneg, galwyd arnynt hwythau i hyfforddi'r plant iau, ac felly ymlaen. Ar ôl cyfnod byr ar y ffidil, awgrymwyd y dylai Noel gael gwersi ar y fiola, a dechreuodd ymgodymu gyda chleff yr alto am y tro cyntaf. Byr fu'r berthynas gyda'r fiola, fodd bynnag, a oedd ym marn rhai yn ddim ond offeryn 'llanw' yng nghanol y gwead cerddorfaol. Mwy cyffrous o lawer fyddai'r bas dwbl – offeryn a fyddai'n rhoi dwy 'ffenest' iddo ar y byd cerddorol oherwydd ei le mewn cerddoriaeth glasurol ar y naill law a *jazz* ar y llall. Ac felly y bu i Noel ymuno â'i ffrind Alun Evans, un arall a fyddai'n gyfaill gydol

providing two windows on the musical world because of its place in classical music on the one hand, and in jazz on the other. And so it was that Noel joined his life-long friend Alun Evans as anchors in the harmonic depths of the music in the school orchestra.

The full orchestra played in all morning services, performed in concerts and other important events in the school calendar, and accompanied also at singing festivals in local chapels. The principle of community liaison was not neglected either, and in 1944, for example, the orchestra performed Mozart's Sinfonietta in D major in a lunch-hour concert for workers at the ICI factory in Waunarlwydd. Pupils were also released from their lessons from time to time in order to attend performances by professional musicians in the community such as members of the Dorian Trio and the soprano Marion Dixon in Gorseinon. One of the year's highlights was the school's eisteddfod held every Saint David's day, when musicians of national stature would be invited to adjudicate. The adjudicator in 1942 was the Pen-clawdd composer William Jenkins, and the following year Dr David Evans of Cardiff was invited. In the choral competition all choirs were required to sing to the accompaniment of the school orchestra, and the highlight of that particular eisteddfod was the performance of 'Men of Harlech' by the combined choirs and orchestra under the direction of the adjudicator.

Professional musicians also visited the school on a regular basis in order to perform for the whole school or to lecture on different aspects of music. This was a long-standing tradition which went back even before the days of Cynwyd Watkins, when there were visits, for example, by the composer Dr D. Vaughan Thomas (uncle of T. Haydn Thomas) in 1918, and Sir Walford Davies in 1924. Among the professional instrumentalists who visited during the war years were Eda Kersey (violin), Florence Hooton (cello), Margaret Elliott (oboe), Mary Kendall (piano), as well as the Cardiff Trio – members of staff at the Music Department of the University, including the professor, Dr Joseph Morgan. One of Noel's contemporaries in school and a fellow member of the orchestra was Alun Hoddinott, who was eventually to succeed Joseph Morgan as

oes iddo, fel dau angor yn nyfnderoedd harmonïau'r gerddoriaeth yng ngherddorfa'r ysgol.

Byddai'r gerddorfa lawn yn cyfeilio ym mhob gwasanaeth boreol, yn perfformio mewn cyngherddau a digwyddiadau pwysig eraill yng nghalendr yr ysgol, ac yn cyfeilio hefyd mewn cymanfaoedd canu mewn capeli cyfagos. Nid esgeuluswyd yr egwyddor o gyswllt â'r gymuned chwaith, ac yn 1944, er enghraifft, bu'r gerddorfa'n perfformio Sinffonieta yn D fwyaf, Mozart mewn cyngerdd awr ginio i weithwyr ffatri ICI yn Waunarlwydd. Câi disgyblion hefyd eu rhyddhau o wersi o bryd i'w gilydd er mwyn mynd i wrando ar gerddorion proffesiynol yn perfformio yn y gymuned, pobl megis aelodau Trio Dorian a'r soprano Marion Dixon yng Ngorseinon. Un o uchafbwyntiau'r flwyddyn oedd eisteddfod dydd gŵyl Dewi pan wahoddid cerddorion o fri cenedlaethol i feirniadu. William Jenkins, y cyfansoddwr o Ben-clawdd oedd y beirniad ym 1942, a'r flwyddyn ganlynol gwahoddwyd Dr David Evans, Caerdydd. Roedd yn rhaid i bob un o'r corau ganu i gyfeiliant cerddorfa'r ysgol, ac uchafbwynt yr eisteddfod honno fyddai canu afieithus y corau unedig a'r gerddorfa wrth iddynt berfformio 'Gwŷr Harlech' dan arweiniad y beirniad.

Trefnwyd bod cerddorion proffesiynol hefyd yn ymweld yn rheolaidd â'r ysgol naill ai i berfformio i'r ysgol gyfan neu i ddarlithio ar amryfal agweddau cerddoriaeth. Traddodiad oedd hwn oedd â'i wreiddiau yn ymestyn yn ôl hyd yn oed cyn dyddiau Cynwyd Watkins pan gafwyd ymweliadau gan gyfansoddwyr megis Dr D. Vaughan Thomas (ewyrth T. Haydn Thomas y soniwyd amdano eisoes) ym 1918 a Syr Walford Davies ym 1924. Ymhlith yr offerynwyr proffesiynol a fu'n ymweld â'r ysgol yn nyddiau'r Ail Ryfel Byd yr oedd Eda Kersey (ffidil), Florence Hooton (cello), Margaret Elliott (obo), Mary Kendall (piano), ynghyd â Thriawd Caerdydd, sef aelodau staff Adran Gerdd y Brifysgol yn y brifddinas, gan gynnwys yr Athro Dr Joseph Morgan. Un o gyfoeswyr Noel yn yr ysgol a chyd-aelod o'r gerddorfa oedd Alun Hoddinott, a oedd i olynu Joseph Morgan fel Athro Cerdd Prifysgol Caerdydd dros ddau ddegawd yn ddiweddarach. Daeth yn un o

27

Professor of Music at Cardiff over two decades later. He was to become, of course, one of Wales's leading composers whose works are performed on a regular basis all over the world.

The following, about the school sextet, was noted by Alun Hoddinott himself as secretary of the lively school music club, in the July 1945 edition of *The Gowertonian*:

> The Sextet consists of William Hallett (violin) Alun Hoddinott (violin) Dillwyn Jenkins (viola) Haydn Davies (cello) and Leighton Jenkins (piano), while the Double Bass is alternately played by Noel Davies and Alun Evans. During the season the Sextet has fulfilled two engagements, one at the Warden's Post, Gowerton, and the other at the Rechabite Hall, Gowerton.

Several members of this sextet went on to earn a living as professional musicians or music educationalists. Leighton Jenkins, originally from Pen-clawdd, became Head of Music at Maesydderwen School and was for some years the conductor of the Ystradgynlais Male Choir, whereas Haydn Davies from Pontarddulais, after a period as a teacher and music organiser in various counties, became Music HMI in Wales. Bill Hallett, leader of the orchestra, was a native of Gowerton and as an instrumentalist it was he of his generation of pupils who went on to the most distinguished career. He played with the Liverpool Philharmonic, Radio Éireann, BBC Wales and the Bournemouth Symphony orchestras, and for the final quarter century of his professional career with the Orchestra of the Royal Opera House, Covent Garden.

As with many looking back on their schooldays, Bill Hallett today recalls most of all the humour of certain situations, one of which certainly underlines Noel Davies's interesting musical tastes:

> There was a boy called Russ something or other who played the piano and I remember Noel and him being involved in quite exciting jam sessions and another lad who normally played the tympani was also involved with a pair of side

gyfansoddwyr mwyaf blaenllaw Cymru, wrth gwrs, a cheir perfformiadau dirifedi o'i weithiau ar draws y byd.

Alun Hoddinott ei hun, fel ysgrifennydd clwb cerdd bywiog yr ysgol, a nododd y canlynol am chwechawd yr ysgol yn rhifyn Gorffennaf 1945 o *The Gowertonian*:

> The Sextet consists of William Hallett (violin) Alun Hoddinott (violin) Dillwyn Jenkins (viola) Haydn Davies (cello) and Leighton Jenkins (piano), while the Double Bass is alternately played by Noel Davies and Alun Evans. During the season the Sextet has fulfilled two engagements, one at the Warden's Post, Gowerton, and the other at the Rechabite Hall, Gowerton.

Aeth mwy nag un o'r chwechawd hwn ymlaen i ennill eu bywoliaeth fel cerddorion proffesiynol neu addysgwyr cerdd. Bu Leighton Jenkins, a ddeuai'n wreiddiol o Ben-clawdd, yn Bennaeth Cerdd Ysgol Maesydderwen ac yn arweinydd Côr Meibion Ystradgynlais am nifer o flynyddoedd, tra aeth Haydn Davies o Bontarddulais, ar ôl treulio cyfnod fel athro a threfnydd cerdd mewn gwahanol siroedd yn AEM Cerdd yng Nghymru. Brodor o Dre-gŵyr oedd Bill Hallett, blaenwr cerddorfa'r ysgol, ac fel offerynnwr, ef o blith disgyblion y cyfnod hwnnw aeth ymlaen i'r yrfa ddisgleiriaf. Chwaraeodd yng ngherddorfeydd Ffilharmonig Lerpwl, Radio Éireann, BBC Cymru, Symffoni Bournemouth ac am chwarter canrif olaf ei yrfa broffesiynol gyda Cherddorfa'r Tŷ Opera Brenhinol yn Covent Garden.

Fel cynifer o bobl sy'n edrych yn ôl ar ddyddiau ysgol, y doniol a'r ysgafn y mae Bill Hallett yn eu cofio heddiw. Ond mae un atgof yn tanlinellu fod gan Noel Davies chwaeth gerddorol ddiddorol:

> There was a boy called Russ something or other who played the piano and I remember Noel and him being involved in quite exciting jam sessions and another lad who normally played the tympani was also involved with a pair of side

drum sticks with which he hit everything in sight that made a noise – including people if they got in the way. Wattie [Cynwyd Watkins's nickname] didn't really approve but would turn a blind eye as to what was going on.

In one of life's strange coincidences Bill Hallett married a girl who had been a violin soloist in the concerts of the Morriston Orpheus Choir, and the organist at their wedding was a gentleman who was to become one of Noel Davies's idols in the world of male-voice choirs, the conductor of the Orpheus, Ivor Simms.

Although no one now remembers why, Noel was given the additional nickname 'Notch' and that became the name by which he was known by his school friends. Notch was certainly a more suitable name than Noel for a member of the dance band to which he belonged as a teenager, which bore the grand name of Jack Crawford and his Band though the conductor was a Grovesend neighbour called Albie Morgan! Alun Evans recalls going camping to the backwoods of Gower with Noel and other pupils from the school one balmy summer, deciding on arrival to attend a dance in the local hall. A crowd of youngsters had already assembled ready to dance, and a collection of instruments stood idle in one corner, as the members of the band were happily imbibing in a nearby hostelry. The Gowerton musicians seized their opportunity, and soon the dance was in full swing with Notch on the drums, Alun having bagged the string bass!

He was no doubt the more respectable Noel rather than Notch when carrying his double bass across the fields in order to play in the Easter Cymanfa Ganu at Brynteg, Gorseinon. He was also Noel to his teachers back at school as he entered the sixth form of an institution which was about to become a grammar school following the 1944 Education Act. The music department continued to go from strength to strength, with Noel now amongst those pupils leading many of the musical activities. As well as those individuals to whom reference has already been made there were others who went on to careers in music education, including Peter Davies who

drum sticks with which he hit everything in sight that made a noise – including people if they got in the way. Wattie [llysenw Cynwyd Watkins] didn't really approve but would turn a blind eye as to what was going on.

Yn un o'r cyd-ddigwyddiadau rhyfedd hynny a all godi mewn bywyd, priododd Bill Hallett â merch a fu'n unawdydd ffidil yng nghyngherddau Côr Orpheus Treforys, a'r organydd yn eu priodas oedd gŵr a ddaeth yn un o eilunod Noel Davies ym myd y corau meibion, sef arweinydd yr Orpheus, Ivor Simms.

Er nad oes unrhyw un bellach yn cofio pam, fe gafodd Noel y llysenw ychwanegol 'Notch' a dyna sut yr adwaenid ef gan ei gyfoedion. Roedd Notch yn enw llawer mwy slic na Noel pan oedd yn aelod brwd o fand dawns Jack Crawford and his Band yn ei arddegau. Pam y rhoddwyd yr enw crand hwn i'r band ni wyddom, gan mai cymydog ym Mhengelli, Albie Morgan, oedd yr arweinydd! Cofia Alun Evans iddo ef, Noel a rhai disgyblion eraill o'r ysgol fynd i aros mewn pabell ym mherfeddion bro Gŵyr un haf gan benderfynu mynychu dawns mewn neuadd fechan leol. Roedd haid o bobl ifainc yno'n barod i ddawnsio, ac offerynnau amrywiol yn segur mewn cornel gan fod aelodau'r band ym mwynhau mewn tafarn gyfagos. Gwelodd cerddorion Tre-gŵyr eu cyfle ac mewn chwinciad roedd y ddawns yn hwylio ymlaen, a Notch ar y drymiau gan fod Alun wedi bachu'r *string bass*!

Ond y Noel parchus ydoedd yn hytrach na Notch wrth gario'i fas dwbl ar draws y caeau i chwarae yng nghymanfa ganu Brynteg, Gorseinon, adeg y Pasg, a Noel ydoedd i'w athrawon yn ôl yn yr ysgol hefyd wrth iddo gyrraedd y chweched dosbarth mewn sefydliad a oedd bellach ar fin troi'n ysgol ramadeg yn dilyn Deddf Addysg 1944. Parhaodd Adran Gerdd yr ysgol i fynd o nerth i nerth, ac roedd Noel bellach ymhlith y disgyblion hynny a oedd yn arwain llawer o'r gweithgareddau. Yn ogystal â'r unigolion y cyfeiriwyd atynt eisoes roedd eraill hefyd ymhlith y disgyblion a aeth ymlaen i yrfaoedd ym myd addysg cerdd, gan gynnwys Peter Davies a fu'n drefnydd Cerdd yn Nhrefaldwyn cyn symud ymlaen i Southampton

31

became music organiser in Montgomeryshire before moving on to Southampton and Birmingham. Reference is made in more than one school concert programme of the time to a young treble soloist, Hilton Richards, another talent from the Bont, who became Head of Music at Ysgol Gyfun Ystalyfera.

In 1945 Ieuan Williams was appointed as a teacher of Welsh in the school and he will have a significant part to play in the development of this story. At about the same time, two of His Majesty's Inspectors of Schools visited Gowerton. Bernard Shore had responsibility for instrumental music, and Irwyn Walters was responsible for music education in Wales. Not surprisingly, the music department received the most glowing of reports. Noel Davies would surely have looked forward enthusiastically to continuing his studies within such a vibrant department, and also to working under the guidance of the newly appointed young Welsh teacher. But although the war had come to an end national service continued, and though the Science students at the school were allowed to continue their studies, those studying the Arts were often compelled to leave in order to join the armed forces. And so it was that Noel Davies had to leave school on 5 April 1946, on the very same day as another member of the school orchestra, the violinist from Pont-lliw, Islwyn Davies – later to become the Reverend Islwyn Davies, Secretary of the Baptist Union of Wales. They were to join the Navy.

a Birmingham. Mewn mwy nag un rhaglen o gyngherddau'r ysgol o'r cyfnod hwn, gwelir cyfeiriad at yr unawdydd trebl ifanc Hilton Richards, un arall o dalentau'r Bont, a ddaeth yn Bennaeth Cerdd yn Ysgol Gyfun Ystalyfera.

Ym 1945 penodwyd Ieuan Williams yn athro Cymraeg yn yr ysgol, a bydd iddo yntau le anrhydeddus yn natblygiad y stori hon. Tua'r un adeg daeth dau o Arolygwyr Ei Fawrhydi i ymweld â'r ysgol. Cyfrifoldeb dros gerddoriaeth offerynnol oedd gan Bernard Shore tra oedd Irwyn Walters yn gyfrifol am addysg gerddorol yng Nghymru. Nid oedd yn syndod o gwbl i'r ddau ohonynt ganmol yr Adran Gerdd i'r cymylau. Mae'n siŵr y byddai Noel Davies wedi edrych ymlaen at barhau â'i astudiaethau o fewn yr adran arbennig honno, ac at weithio hefyd dan adain yr athro Cymraeg ifanc a oedd newydd ei benodi. Ond, er i'r rhyfel ddod i ben, parhaodd gwasanaeth cenedlaethol, ac er i'r gwyddonwyr ymhlith disgyblion yr ysgolion uwchradd gael llonydd i barhau â'u haddysg, roedd tuedd i'r rheini oedd yn astudio'r celfyddydau orfod gadael i ymuno â'r lluoedd arfog. Ac felly y bu yn hanes Noel Davies. Gorfu iddo adael yr ysgol ar 5 Ebrill 1946, yr un diwrnod yn union ag aelod arall o'r gerddorfa, y chwaraewr ffidil o Bont-lliw, Islwyn Davies – yn ddiweddarach y Parchedig Islwyn Davies, Ysgrifennydd Undeb Bedyddwyr Cymru. Yn ddeunaw oed, aeth y ddau i'r Llynges.

THE THIRST FOR KNOWLEDGE

Although they left school on the same day and had been friends throughout their time at Gowerton, Noel and Islwyn Davies lost touch with each other as they commenced in the Royal Navy. The friendship between their respective fathers, who were fellow workers in the Mountain Colliery, continued but there were already signs that Noel's father, Daniel, was suffering from a serious illness.

HMS *Royal Arthur* was a recruiting centre in Corsham on the outskirts of Bath, and it was there that Noel went for a brief period before moving on to a basic training centre, HMS *Ceres* in Wetherby, near York. Coincidentally, there was another N. G. Davies stationed there, and it seems that this individual had special educational needs. In the process of dividing the young men into appropriate groups, the names of the two were mixed up, and Noel found himself in a class for slow learners. According to legend – perfectly credible when bearing in mind his sense of humour – Noel kept quiet, and enjoyed a rather leisurely educational experience for a short time, until the authorities realized their mistake!

He was trained as a 'writer' and that was the work he undertook throughout his time with the Navy in Devonport. The responsibilities of the post were wide-ranging and involved administrative and clerical work, keeping records and accounts, paying salaries and so on. Noel had shown a great interest in playing rugby as a pupil in Gowerton, and this interest continued throughout his time in the Navy. After all, his old school in Gowerton had a very special tradition in terms of rugby, as well as its reputation as a centre of musical excellence.

After two years in the Navy, and demob, Noel joined his father for a short time in the Mountain Colliery, working as a labourer on

YR AWCH AM DDYSG

Er iddynt adael yr ysgol ar yr un diwrnod ac er iddynt fod yn ffrindiau agos trwy gydol eu hamser yn Nhre-gŵyr, colli cysylltiad â'i gilydd wnaeth Noel ac Islwyn Davies wrth iddynt gychwyn ar eu cyfnod yn y Llynges. Ond parhau a wnaeth cyfeillgarwch tadau'r ddau fel cyd-weithwyr yng nglofa'r Mynydd, er bod arwyddion eisoes bod salwch difrifol yn dechrau llethu Daniel, tad Noel.

Canolfan recriwtio yn Corsham, y tu allan i Gaerfaddon, oedd HMS *Royal Arthur*, ac yno yr aeth Noel am gyfnod byr cyn symud i ganolfan hyfforddi sylfaenol HMS *Ceres* yn Wetherby ar gyrion Efrog. Cyd-ddigwyddiad llwyr oedd bod N. G. Davies arall yno hefyd, ac roedd gan hwnnw, mae'n debyg, anghenion dysgu arbennig. Wrth ddosbarthu'r gwŷr ifainc i grwpiau priodol, cymysgwyd y ddau enw, a chafodd Noel ei hun mewn dosbarth i ddysgwyr araf. Yn ôl yr hanes – hollol gredadwy o gofio'i synnwyr digrifwch – cadw'n dawel a wnaeth Noel, gan fwynhau profiadau addysgol hamddenol iawn am gyfnod byr, cyn i'r awdurdodau sylweddoli'r camgymeriad!

Hyfforddwyd ef fel yr hyn a elwir yn 'writer' a dyna fu ei waith gydol ei amser wedyn gyda'r Llynges yn Devonport. Roedd cyfrifoldebau'r swydd yn eang ac yn cynnwys gwaith gweinyddol, gwaith clerigol, cadw cofnodion a chyfrifon, ynghyd â thalu cyflogau'r gweithwyr. Roedd Noel wedi dangos diddordeb mawr mewn chwarae rygbi pan oedd yn ddisgybl yn Ysgol Tre-gŵyr a pharhaodd y diddordeb hwnnw gydol ei gyfnod yn y Llynges. Wedi'r cyfan roedd gan ei hen ysgol yn Nhre-gŵyr draddodiad arbennig iawn ar y meysydd rygbi, yn ogystal â'i henw fel canolfan ragoriaeth ym myd cerdd.

Noel a'i gyfaill Owen Hughes

Noel and his friend Owen Hughes

Peter Jackson, Noel ac Owen Hughes y tu allan i Eglwys y Santes Catrin, Gorseinon

Peter Jackson, Noel and Owen Hughes outside Saint Catherine's Church, Gorseinon

Ffrindiau bore oes yn dychwelyd adref
Peter Jackson, Noel, Alun Evans, Owen Hughes
Childhood friends returning home

the surface rather than underground. This was a period of considerable upheaval and anticipation in the history of the coal industry, with the establishment of the National Coal Board in 1946 and the implementation of the new regime in 1947. Noel remembered his father celebrating at the time, in the hope that the life of the collier would now change for the better. Within two years, however, his father had died from the effects of the coal dust.

By that time, having left the Mountain Colliery, Noel Davies was a student at Coleg Harlech. He went there in 1948 as one of only 68 full-time students, most of whom had come from the south Wales valleys, but where there were also a significant number of part-time students from foreign countries. This was a period of re-establishment for the college following the war, when this unique establishment had been closed for full-time courses. The first warden of the college, Sir Ben Bowen Thomas, had coined the appropriate phrase *coleg yr ail gyfle* ('the second-chance college') when describing the early days of the institution at the end of the 1920s. At that time, the aim was to offer 'a second chance' to young workers who had lost educational opportunities because of the Depression. In Noel Davies's day Coleg Harlech attracted individuals who had lost out as a result of the war. Indeed, among Noel's contemporaries in the college there were a significant number of former members of the Armed Forces. This led the warden at that time, I. D. Harry, to echo his predecessor, describing the institution now as '*coleg yr ail gyfle* with a vengeance'!

Dan Harry was a man of many talents, who had a somewhat unusual background. Before his appointment to Coleg Harlech, he had been headmaster of Garw Grammar School, but many years earlier had been incarcerated in Walton prison and Wormwood Scrubs because of his strong convictions against the First World War. In addition to teaching psychology and English literature in the college, one of his other duties was to teach music to a small group of students, with Noel, of course, amongst them. The two of them would have got on particularly well with each other, since Dan Harry was also a former pupil of Gowerton School, and another product of its

38

Wedi treulio dwy flynedd yn y Llynges, daeth *demob* yn ei dro, ac am gyfnod byr ymunodd Noel â'i dad yng ngwaith glo'r Mynydd, gan weithio fel labrwr ar yr wyneb yn hytrach na dan ddaear. Cyfnod o fwrlwm oedd hwn yn hanes y diwydiant glo gyda sefydlu'r Bwrdd Glo Cenedlaethol ym 1946 a dechrau gweithredu'r gyfundrefn newydd ym 1947. Cofiai Noel am ei dad yn dathlu bryd hynny, yn y gobaith y byddai bywyd y glowyr bellach yn newid er gwell. O fewn dwy flynedd, serch hynny, roedd ei dad wedi marw o effaith llwch y glo.

Roedd Noel, erbyn hynny, wedi symud o weithio yn y Mynydd i fod yn fyfyriwr yng Ngholeg Harlech. Aeth yno ym 1948, yn un o 68 yn unig o fyfyrwyr amser llawn, y rhan fwyaf ohonynt yn hanu o gymoedd de Cymru. Ond roedd yno hefyd nifer sylweddol o fyfyrwyr rhan-amser o wledydd tramor. Cyfnod o ail-sefydlu oedd hwn yn hanes y coleg yn dilyn cyfnod y rhyfel, pan fu'r sefydliad unigryw hwn ar gau o safbwynt cyrsiau amser llawn. Bathodd warden cyntaf y coleg, Syr Ben Bowen Thomas, yr ymadrodd priodol 'coleg yr ail gyfle' wrth ddisgrifio dyddiau cynnar y sefydliad ar ddiwedd y 1920au. Bryd hynny, cynnig cyfle i weithwyr ifainc a gollodd gyfleoedd addysgol oherwydd y Dirwasgiad oedd y nod. Erbyn dyddiau Noel Davies, roedd Coleg Harlech yn denu unigolion a ddioddefodd o ran eu haddysg o ganlyniad i'r rhyfel. Yn wir, o blith ei gyfoedion yn y coleg roedd nifer sylweddol o gyn-aelodau o'r Lluoedd Arfog. Hyn a arweiniodd y warden bryd hynny, sef I. D. Harry, i adleisio'i ragflaenydd trwy ddisgrifio'r sefydliad bellach fel 'coleg yr ail gyfle with a vengeance'!

Dyn amryddawn tu hwnt oedd y warden Dan Harry, ac un o gefndir anarferol. Cyn ei benodi i Goleg Harlech, bu'n brifathro Ysgol Ramadeg y Garw, ond flynyddoedd cyn hynny treuliodd gyfnodau yng ngharchardai Walton a Wormwood Scrubs, a hynny oherwydd ei ddaliadau cryf yn erbyn y Rhyfel Byd Cyntaf. Yn ogystal â dysgu Seicoleg a Llenyddiaeth Saesneg yn y coleg, un o'i ddyletswyddau eraill oedd dysgu Cerddoriaeth i grŵp bach o fyfyrwyr, a Noel, wrth gwrs, yn eu plith. Byddai'r ddau wedi cyd-dynnu â'i gilydd yn arbennig o dda, gan fod Dan Harry ei hun yn

39

remarkable musical tradition. He was a native of Loughor, where his family worshipped in Moriah chapel, famous for its important links with Evan Roberts and the 1904 Revival (the village was only a stone's throw away from Noel's home in Grovesend). Dan Harry was a very talented pianist and a skilful accompanist to the numerous singers and instrumentalists amongst the college students. A large number of concerts were organised both within the college and outside in the local community. An important element of the college's philosophy, and that of its warden, was a belief in shared experiences and a spirit of cooperation between students, staff and residents of Harlech and the environs, especially in the context of the arts. Local residents were therefore encouraged to join in the lively and varied extra-curricular activities of the college.

During term time and in the summer schools, recitals by professional musicians were organised, and Welsh- and English-medium plays and art exhibitions were a part of the regular programme of events. This was in addition to the concerts given by a combination of students and residents of Harlech. One of the college treasures was the magnificent organ, which Dan Harry was so fond of playing in the Great Hall, where many performances of large-scale musical works took place. Decades after Noel had left the college, when he was conducting the Cymanfa Ganu at the Llanelwedd National Eisteddfod in 1993, he introduced the hymn-tune 'Bryn Myrddin' by paying tribute to its composer, John Morgan Nicholas. He spoke of the privilege of participating in a performance of Mozart's Requiem in one of the concerts at Coleg Harlech, under the direction of the composer of the hymn-tune, referring to him as one of the nation's musical giants.

Of the 68 full-time students in 1948–9, there were only seven women. One of them was Joan Elizabeth Wainwright from the little village of Llanwnnog in the old Montgomeryshire. She was a member and occasional organist of the church opposite her home, and her lively personality and sense of humour appealed greatly to Noel. Their relationship blossomed over the following years; Noel had found the love of his life.

gyn-ddisgybl o Ysgol Tre-gŵyr, ac yn etifedd arall eto o draddodiad cerddorol rhyfeddol yr ysgol honno. Yn wir, fe'i magwyd yng Nghasllwchwr, pentref nid nepell o gartref Noel ym Mhengelli. Roedd ei deulu'n aelodau yng nghapel Moriah, oedd yn enwog oherwydd y cysylltiad ag Evan Roberts a Diwygiad 1904. Roedd Dan Harry'n bianydd dawnus dros ben ac yn gyfeilydd medrus i'r nifer o gantorion ac offerynwyr talentog a gaed ymhlith myfyrwyr y coleg. Trefnwyd llu o gyngherddau o fewn y coleg ac yn y gymuned leol. Nodwedd amlwg o athroniaeth y coleg a'i warden oedd y dyhead i feithrin perthynas agos, ynghyd ag ysbryd o gydweithio, rhwng y myfyrwyr, y staff a thrigolion Harlech a'r cyffiniau, yn enwedig yng nghyd-destun y celfyddydau. Anogwyd trigolion yr ardal felly i ymuno yng ngweithgareddau allgyrsiol y coleg, ac roedd y rheini'n rhyfeddol o fyrlymus.

Trefnwyd bod datganiadau gan gerddorion proffesiynol yn digwydd yn ystod y tymor ac yn yr ysgolion haf, yn ogystal â'r cyngherddau cyson a gynhaliwyd ar y cyd rhwng y myfyrwyr a thrigolion y dref. Byddai perfformiadau o ddramâu Cymraeg a Saesneg ac arddangosfeydd celf yn rhan o'r arlwy rheolaidd hefyd. Un o drysorau'r coleg oedd yr organ fawreddog yr oedd Dan Harry mor hoff o'i chwarae yn y Neuadd Fawr, lle y cynhaliwyd nifer o berfformiadau o weithiau cerddorol estynedig. Ddegawdau wedi i Noel adael y coleg, ac wrth iddo gyflwyno'r dôn 'Bryn Myrddin' fel arweinydd gwadd Cymanfa Ganu Eisteddfod Genedlaethol Llanelwedd ym 1993, soniodd am y fraint a gafodd o ganu Requiem Mozart dan arweiniad cyfansoddwr y dôn, ac un o gewri cerddorol y genedl, sef John Morgan Nicholas, yn un o gyngherddau'r coleg.

Dim ond saith merch oedd ymhlith y 68 o fyfyrwyr amser llawn ym 1948–9. Un ohonynt oedd Joan Elizabeth Wainwright o bentref bach Llanwnnog yn yr hen sir Drefaldwyn. Fe'i magwyd fel eglwyswraig, a byddai'n chwarae'r organ yn achlysurol yn yr eglwys gyferbyn â'i chartref. Afraid dweud i fwrlwm naturiol y ferch hon ynghyd â'i synnwyr digrifwch parod apelio'n fawr at Noel. Blodeuodd eu perthynas dros y blynyddoedd dilynol; roedd Noel wedi darganfod ei gymar bywyd.

Dan Harry's musical efforts were greatly enhanced by one of the college tutors, Meredydd Evans and his wife, the singer Phyllis Kinney. It was Joan who had the most frequent contact with Merêd, since it was she, rather than Noel, who regularly attended his courses in philosophy and political philosophy. Noel joined his classes occasionally, particularly the Welsh-medium courses offered on the Greeks, the Rationalists and the Empiricists. However, it was the extra-curricular musical activities that brought Noel, Merêd and Phyllis closer together, and the friendship that developed between all four lasted a lifetime. Noel and Joan would often visit Merêd and Phyllis at home, and the young couple would baby-sit for them when Merêd and Phyllis were busy entertaining audiences across Wales.

As well as concentrating on music, Noel attended Welsh literature classes run by D. Tecwyn Lloyd, tutor and college librarian, and he was another who became one of Noel's lifelong friends. In an article for the journal *Welsh Music* published in 1976, D. Tecwyn Lloyd looked back on Noel Davies's time at Coleg Harlech. He notes that it was at the college that Noel conducted his first Cymanfa Ganu, and that he had on his arrival 'demonstrated to us all that music flowed throughout his veins'. Tecwyn Lloyd goes on to describe one interesting bus journey:

> I have a vivid recollection of one coach trip from Harlech to view the glories of Gwynedd in the middle of the summer term, 1949, when the return journey to Harlech between midnight and one o'clock was more lively than the outward journey, as Noel had organised the passengers into a melodious choir (well, more or less). The natives of Eifionydd and Ardudwy, from Bontnewydd to Talsarnau, must have felt that 'music of the spheres' was a reality after all, and was very much in evidence that night!

Bearing in mind the principle of 'second chance', it was no surprise to see how keen the students were to succeed in all aspects

Cafodd ymdrechion cerddorol Dan Harry hwb sylweddol gan gyfraniad un o diwtoriaid y coleg, sef Meredydd Evans, a'i wraig, y gantores Phyllis Kinney. Byddai Joan mewn cyswllt gweddol gyson â Merêd, gan ei bod yn mynychu ei gyrsiau mewn Athroniaeth ac Athroniaeth Wleidyddol. Ymunai Noel o bryd i'w gilydd â'i ddosbarthiadau, yn arbennig ar gyfer y cyrsiau cyfrwng Cymraeg a gynigiwyd ar y Groegiaid, y Rhesymolwyr a'r Empeiryddion. Ond y gweithgareddau cerddorol allgyrsiol ddaeth a Noel, Merêd a Phyllis yn agosach at ei gilydd, mewn cyngerdd, noson lawen, cymanfa ganu ac ymarferion lu. Datblygodd cyfeillgarwch arbennig rhwng y ddau bâr hefyd, cyfeillgarwch a barhaodd gydol eu hoes. Cafodd Merêd a Phyllis gwmni Noel a Joan ar eu haelwyd yn fynych, ac yn aml byddai'r ddau fyfyriwr ifanc yn mwynhau'r dasg o warchod merch fach Merêd a Phyllis pan fyddent hwy allan yn diddanu cynulleidfaoedd ledled Cymru.

Yn ogystal â cherddoriaeth, canolbwyntiai Noel ei sylw hefyd ar lenyddiaeth Gymraeg yn nosbarthiadau D. Tecwyn Lloyd, tiwtor a llyfrgellydd y coleg, ac un arall a ddaeth yn gyfaill oes iddo. Mewn rhifyn o'r cylchgrawn *Cerddoriaeth Cymru* ym 1976 edrychodd Tecwyn Lloyd yn ôl ar gyfnod Noel Davies yng Ngholeg Harlech. Yn ogystal â nodi mai yn y coleg yr arweiniodd ei gymanfa ganu gyntaf, a'i fod o fewn byr amser o gyrraedd y coleg wedi 'dangos i bawb ohonom fod cerddoriaeth yn llifo drwy ei holl wythiennau', disgrifia Tecwyn Lloyd un daith ddiddorol ar fws:

Mae gen' i atgo byw am un trip coitsh o Harlech i weld gogoniannau Gwynedd yn ystod canol term yr haf, 1949, a'r daith yn ôl i Harlech rhwng hanner nos ac un yn fywiocach na'r daith allan canys yr oedd Noel wedi trefnu'r holl lwyth yn un côr soniarus (wel, mwy neu lai felly). Rhaid bod brodorion Eifionydd ac Ardudwy, o'r Bontnewydd i Dalsarnau, yn meddwl fod 'canu yn yr awyr' yn ffaith wedi'r cwbl a'i fod o gwmpas y noson honno!

O gofio'r egwyddor o 'ail gyfle' nid oedd yn syndod o gwbl gweld awydd y myfyrwyr i lwyddo ym mhob agwedd ar fywyd y

of college life. Having played rugby in school and in the Navy, Noel continued to play the game in Coleg Harlech, and Merêd still recalls the two of them playing in occasional soccer matches in both college and town teams. Joan did not speak Welsh but she joined Noel in the lively meetings of the Welsh Society. Noel was also the secretary of the Debating Society that was so successful in the University of Wales inter-college debates and reached a commendably high placing in the 'Observer Inter-University Debating Competition'.

The family atmosphere was central to the ethos of the college, and the international dimension, paradoxically, contributed to this – the extended family, as it were. As mentioned earlier, during 1948–9 sixteen overseas students were resident in the college for one term or less, and the interaction between them and their fellow-students from Wales was important in fostering positive attitudes in terms of tolerance and a desire to understand and appreciate the traditions and cultures of different nations. During the same year a host of other visitors were welcomed from Scandinavia, Germany, Austria, France, Africa, Turkey, Greece, India, China, the USA, South America and Australia. They were all encouraged to join in the academic, cultural and social life of the college and the local community. After such exciting and meaningful interaction, there was no danger whatsoever that the Welsh students would return to their communities with narrow parochial attitudes. After all, the main aim of the college, as noted in a publicity pamphlet in 1947, was 'to help potential leaders in the life of local communities to develop their latent powers and to increase their capacity for service'.

Of the two, Joan was the first to leave Coleg Harlech, after a year, in order to undertake further study at the university in Swansea. After that, she became a youth leader in Nottingham before moving to London to take up a post as an 'approved school housemistress'. Noel's intention was to remain for a second full year before returning home, but he left after one term, following the death of his father, his mother having been left a widow at a

44

coleg. Wedi chwarae rygbi yn yr ysgol ac yn y Llynges, parhaodd
Noel i chwarae'r gêm yng Ngholeg Harlech, ac mae Merêd yn dal i
gofio'r ddau ohonynt yn chwarae mewn gemau pêl droed
achlysurol yn nhimau'r coleg a'r dref hefyd. Nid oedd Joan yn
medru'r Gymraeg, ond byddai'n ymuno â Noel yng nghyfarfodydd
bywiog y Gymdeithas Gymraeg. Noel hefyd oedd ysgrifennydd y
Gymdeithas Siarad Cyhoeddus a fu mor llwyddiannus yng
nghystadlaethau siarad cyhoeddus rhyng-golegol Prifysgol Cymru,
ac a gyrhaeddodd safle uchel, clodwiw yn yr 'Observer Inter-
University Debating Competition'.

Roedd y naws deuluol yn rhan o ethos y coleg, ac roedd y
dimensiwn rhyngwladol, mewn ffordd baradocsaidd, yn cyfrannu at
hyn – y teulu estynedig, fel petai. Yn ystod y flwyddyn 1948–9 bu
16 o dramorwyr yn fyfyrwyr preswyl am gyfnod o un tymor neu lai
yn y coleg, ac roedd y rhyngweithio cyson rhyngddynt hwythau a'u
cyd-fyfyrwyr o Gymru yn allweddol o ran meithrin agweddau
positif o oddefgarwch ac awydd i ddeall a gwerthfawrogi
traddodiadau a diwylliannau cenhedloedd gwahanol. Yn yr un
flwyddyn croesawyd llif o ymwelwyr eraill o wledydd Sgandinafia,
Yr Almaen, Awstria, Ffrainc, Affrica, Twrci, Gwlad Groeg, India,
China, Unol Daleithiau America, De America ac Awstralia i'r coleg.
Anogwyd hwythau i ymuno ym mywyd academaidd, diwylliannol a
chymdeithasol y coleg a'r gymuned leol. Wedi'r rhyngweithio
cyffrous hwn, nid oedd unrhyw berygl y byddai myfyrwyr Cymreig
y coleg yn dychwelyd i'w cymunedau yn blwyfol ac yn gul eu
hagwedd. Wedi'r cyfan, prif nod y coleg, fel a nodwyd mewn taflen
gyhoeddusrwydd ym 1947 oedd 'i fod yn gymorth i'r rhai a ddaw
yn arweinwyr mewn bywyd lleol, i feithrin eu galluoedd cynhenid
ac i ehangu eu gorwelion i wasanaeth cyhoeddus'.

O'r ddau, Joan oedd y cyntaf i adael Coleg Harlech, a hynny ar
ôl blwyddyn, er mwyn mynd i astudio ymhellach yn y brifysgol yn
Abertawe. Wedi'r cyfnod hwnnw, bu'n arweinydd ieuenctid yn
Nottingham cyn symud i Lundain a chymryd swydd fel 'approved
school housemistress'. Bwriad Noel oedd aros am flwyddyn gyfan
arall cyn dychwelyd adref, ond gadael ar ôl tymor a wnaeth, gan fod

comparatively young age. Despite the geographical distance between them over coming years, however, Noel's relationship with Joan continued to flourish.

Noel was determined, in the first instance, to serve his community as a schoolteacher, and the next appropriate step for him was to register, in September 1950, as a student at Trinity College, Carmarthen, for a two-year course, in order to gain the relevant qualifications. In those days the college admitted men only, a time when Jac L. Williams, Head of the Welsh Department, was busy establishing a vibrant department which was to extend its influence considerably over the following years, with the admission of women as students from 1957 and key appointments to the teaching staff, such as Norah Isaac and Carwyn James.

As had been the case at Coleg Harlech, as well as the formal academic pursuits, Trinity College also offered a comprehensive range of extra-curricular activities. Of the three hundred students, approximately half of them were fluent in the Welsh language, and so it was no surprise that the Welsh Society was one of the liveliest of all the clubs and societies. Organised events included debates, poetry readings, singing rehearsals and folk-dancing sessions, too, with invitations to the ladies of the town for the latter, no doubt.

Between 1946 and 1951 most training colleges implemented a so-called 'Emergency Training Scheme' and once again Noel found himself in the middle of a large number of students who had recently left the Armed Forces. The school-leaving age was raised to fifteen in 1947 and many new initiatives were being implemented in schools as a consequence of the 1944 Education Act. One of the main criticisms at the time was in relation to the inferior status of music in the curriculum and the general lack of enthusiasm and support for musical activities within the country's primary and secondary schools. Gowerton School, without doubt, was an exception, but shortly there was to be a revolution in terms of the nation's musical education, and Noel Davies was to play his part in that process during the coming years. Ironically, however, secondary schools, particularly the new 'grammar' schools, would

ei fam bellach wedi'i gadael yn weddw gymharol ifanc yn dilyn marwolaeth ei dad. Er gwaethaf y pellter daearyddol rhyngddynt dros y blynyddoedd i ddod, parhau a wnaeth y garwriaeth rhwng Noel a Joan.

Roedd Noel yn benderfynol o wasanaethu ei gymuned, a'i ddyhead yn y lle cyntaf oedd gwasanaethu fel athro ysgol. Y cam naturiol nesaf iddo oedd cofrestru, ym mis Medi 1950, fel myfyriwr yng Ngholeg y Drindod, Caerfyrddin, ar gwrs dwy flynedd, er mwyn ennill y cymwysterau priodol. Dynion yn unig a dderbynnid i'r coleg bryd hynny, ac yno roedd Jac L. Williams, Pennaeth yr Adran Gymraeg, yn prysur sefydlu adran gref, adran a fyddai'n eang ac yn fawr ei dylanwad dros y blynyddoedd dilynol. Yn greiddiol i'r dylanwad hwn yr oedd dyfodiad merched fel myfyrwyr o 1957 ymlaen a phenodiadau allweddol pobl megis Norah Isaac a Carwyn James fel aelodau staff.

Megis yng Ngholeg Harlech, roedd yng Ngholeg y Drindod raglen gynhwysfawr o weithgareddau allgyrsiol. Hyn wrth gwrs yn ychwanegol at y profiadau academaidd ffurfiol. O'r tri chant o fyfyrwyr, roedd tua hanner ohonynt yn rhugl yn y Gymraeg, ac felly nid oedd yn syndod mai'r Gymdeithas Gymraeg oedd ymhlith y bywiocaf o'r holl glybiau a chymdeithasau. Cynhelid dadleuon, darlleniadau o farddoniaeth, ymarferion canu, a sesiynau dawnsio gwerin hefyd, a gwahoddwyd merched y dref i'r rheini, yn ddi-os.

'Cynllun Hyfforddi Mewn Argyfwng' oedd yn bodoli yn y rhan fwyaf o golegau hyfforddi athrawon rhwng 1946 a 1951, ac unwaith eto cafodd Noel ei hun yng nghanol llu o fyfyrwyr a ddaethai o'r Lluoedd Arfog. Codwyd oedran gadael ysgol i bymtheg oed ym 1947, ac roedd llawer o ddatblygiadau newydd ar y gweill yn yr ysgolion o ganlyniad i Ddeddf Addysg 1944. Un o'r cwynion mawr ar y pryd oedd statws israddol Cerdd yn y cwricwlwm a'r diffyg cefnogaeth gyffredinol i weithgareddau cerddorol o fewn ysgolion cynradd ac uwchradd y wlad. Eithriad oedd Ysgol Tre-gŵyr felly, ond yn fuan gwelwyd chwyldro sylweddol o safbwynt addysg gerddorol y genedl, ac roedd Noel Davies i chwarae ei ran yn y broses honno yn y blynyddoedd oedd i ddod. Yn eironig, serch

now be looking for well-qualified, specialist music teachers and, of course, in this respect, Noel had not benefited from an university education. Coleg Harlech, with its emphasis on a wide range of experiences and the development of the individual, offered no 'paper qualifications' whatsoever. As a result, Noel decided to concentrate on the primary sector and undertook his teaching practice at Kidwelly Primary School.

With his experience as secretary of the Debating Society at Coleg Harlech behind him, it is not surprising that Noel became President of the Student Representative Council in Trinity College. This was a post of considerable importance and responsibility, and one that reflected the faith of the electors – the whole student body – in the post holder. It was to the President that the College Principal, the Reverend Thomas Halliwell, would turn when seeking the support and cooperation of the students for the plethora of new initiatives then being undertaken at a particularly exciting time in the history of the college. It is evident, therefore, that Noel possessed well-developed communication skills, and it is all the more surprising, at least at first glance, to read the comments of Jac L. Williams at the end of Noel's time as a student, when he noted, 'Speech rough and jerky especially when he is nervous. May not be able to do justice to himself at an interview.' Yet, most of us who came to know Noel and to hear him directing his choir in rehearsal, or addressing the audience in a concert, or answering questions in radio and television interviews, would surely acknowledge that Jac L. Williams was close to the mark. Noel's unique style of speech, with its chopped syllables and bubbling enunciation, was part and parcel of his likeable character and personality. He would often say to his choir, 'Don't sing like I speak'! Perhaps, rather than 'speech rough and jerky', the teacher might have said more accurately, 'has no interest in airs and graces'! In his comments, Jac L. Williams also noted that he found Noel a dependable and conscientious student, and one who could be entrusted to lead others effectively. It was also noted that his talents on the rugby field were again in evidence at Trinity College. Around this time

hynny, byddai ysgolion uwchradd, yn enwedig yr ysgolion 'gramadeg' newydd, bellach yn edrych am athrawon Cerdd a oedd yn meddu ar gymwysterau ffurfiol megis gradd prifysgol i ddysgu ynddynt. Ond wrth gwrs ni fu Noel trwy unrhyw gyfundrefn o'r fath. Cofier nad oedd Coleg Harlech yn cynnig unrhyw 'gymhwyster papur' o gwbl ac mai ar ystod o brofiadau amrywiol a datblygu'r unigolyn yr oedd y pwyslais. O ganlyniad, penderfynodd Noel y byddai'n canolbwyntio ar y sector cynradd, a gwnaeth ei ymarfer dysgu yn Ysgol Gynradd Cydweli.

Yn dilyn ei brofiad fel ysgrifennydd y Gymdeithas Siarad Cyhoeddus yng Ngholeg Harlech, nid oedd yn syndod gweld Noel yn cael ei ethol yn Llywydd Cyngor Cynrychioliadol y Myfyrwyr yn y Drindod. Swydd bwysig oedd hon, ac un a adlewyrchai ffydd yr etholwyr, sef y myfyrwyr wrth gwrs, yn ei deiliad. At y Llywydd y byddai Prifathro'r Coleg, y Parchedig Thomas Halliwell, yn troi pan fyddai angen cydweithrediad y myfyrwyr arno wrth geisio gweithredu'r llu o fentrau newydd oedd ar y gweill mewn cyfnod cyffrous yn hanes y coleg. Mae'n amlwg fod Noel yn meddu ar sgiliau trafod a chyfathrebu sylweddol o gofio'r cefndir hwn. Rhyfedd felly, o leiaf ar yr olwg gyntaf, oedd sylwadau crynodol Jac L. Williams ar ddiwedd cyfnod Noel fel myfyriwr, pan nododd, yn Saesneg sylwer, 'Speech rough and jerky especially when he is nervous. May not be able to do justice to himself at an interview.' Ond byddai'r rhan fwyaf ohonom, mae'n siŵr, a ddaeth i adnabod Noel a'i glywed yn hyfforddi ei gôr mewn ymarfer, neu'n siarad â chynulleidfa mewn cyngerdd, neu'n ymateb i gwestiynau mewn cyfweliadau radio a theledu, yn cydnabod bod Jac L. Williams yn agos i'w le. Roedd lleferydd unigryw Noel Davies, a'i sillafau cwta a'i ynganu byrlymus yn rhan o'i gymeriad annwyl a hoffus. Dywedai yn aml wrth ei gôr, 'Don't sing like I speak!' Yn hytrach na 'speech rough and jerky', hwyrach y byddai'r athro'n agosach ati petai wedi dweud, 'has no interest in airs and graces!' Hefyd yn ei sylwadau, nododd Jac L. Williams iddo gael Noel yn fyfyriwr dibynadwy a chydwybodol, ac yn un y gellid ymddiried ynddo i arwain eraill yn effeithiol.

Noel was a keen member of the Grovesend rugby team, a club grandly known as the Grovesend Harlequins. Despite its splendid name, the club folded, with many of the players, including Noel, moving to play for the Pontarddulais rugby side. Here, his old playmate, Jac Jones, and Noel, renewed their friendship, this time on the rugby field. Interestingly, both played in the Bont team against Gorseinon in the first game ever to be broadcast on the radio with a Welsh-language commentary, and that of course by the legendary Eic Davies. Years later, Noel Davies was appointed a trustee of the Pontarddulais Rugby Club.

One of the highlights of the Welsh Society's calendar at Trinity College was the annual lecture delivered by a distinguished guest. During the 1950s one such guest was T. I. Ellis, an influential and multi-talented academic, who was at that time secretary of Undeb Cymru Fydd. Ellis was a broadcaster and one who held important posts within the University of Wales and the Church in Wales. He seized upon his opportunities in Trinity College, on more than one occasion, to implore students to stay in Wales after their college days, rather than to accept posts as teachers in England, arguing that it would be better to accept any work within Wales if teaching posts were not available, as this would sustain the economy and culture.

That advice frequently fell on stony ground with thousands of young teachers moving and making their homes in London and Birmingham, Noel Davies being one of them. His first teaching post was at Stourbridge Road Primary School in Halesowen, Worcestershire. However, within a year, he returned to Wales and to a post at Tonyrywen Primary School, Cardiff. Then, in 1954, an opportunity arose to move close to home as he accepted a position as music teacher at Pontarddulais Secondary School, where he himself had been a pupil for a short time. At the same time, he was appointed assistant warden at the Pontarddulais Youth Centre, a 'club' that met weekly in the buildings of the secondary school.

In order to continue with his choral experience, he joined Côr Glandulais, a mixed choir mainly of young people, and was active

Nodwyd ganddo hefyd fod y doniau a amlygwyd eisoes ar y cae rygbi yn parhau yn y Drindod. Tua'r un adeg, roedd Noel yn aelod brwd o dîm rygbi Pengelli, clwb a oedd yn meddu ar yr enw crand Grovesend Harlequins. Er gwaethaf yr enw arbennig, darfod a wnaeth y clwb, gyda rhai o'r chwaraewyr, a Noel yn eu plith, yn symud i chwarae i dîm rygbi Pontarddulais. Dyma Jac Jones, y soniwyd amdano eisoes, a Noel yn cael cyfle unwaith eto i barhau â'u cyfeillgarwch, y tro hwn ar y cae rygbi, ac yn ddiddorol chwaraeodd y ddau yn nhîm y Bont yn erbyn Gorseinon yn y gêm gyntaf erioed y sylwebwyd arni yn y Gymraeg ar y radio, a hynny wrth gwrs gan yr anfarwol Eic Davies. Flynyddoedd yn ddiweddarach, enwebwyd Noel Davies yn un o ymddiriedolwyr Clwb Rygbi Pontarddulais.

Un o uchafbwyntiau rhaglen flynyddol y Gymdeithas Gymraeg yn y Drindod oedd y ddarlith a gyflwynid gan ŵr gwadd o'r tu allan i'r coleg. Athrylith a ddychwelodd yn aml yn ystod y 1950au oedd T. I. Ellis, a oedd bryd hynny yn ysgrifennydd Undeb Cymru Fydd. Gŵr amryddawn oedd hwn, yn awdur, academydd, darlledwr ac yn un a oedd yn dal sawl swydd bwysig o fewn Prifysgol Cymru a'r Eglwys yng Nghymru. Defnyddiodd ei gyfleoedd yn y Drindod, fwy nag unwaith, i annog y myfyrwyr i aros yng Nghymru wedi iddynt orffen yn y coleg, yn hytrach na derbyn swyddi fel athrawon yn Lloegr. Roedd yn dadlau y byddai'n well iddynt gymryd unrhyw waith yng Nghymru os nad oedd swyddi dysgu ar gael, gan y byddai hyn yn cefnogi'r economi a'r diwylliant.

Syrthio ar dir caregog a wnaeth hadau'r cyngor hwnnw yn fynych, gyda miloedd o athrawon ifainc yn symud ac yn ymgartrefu yn Llundain a Birmingham, a Noel Davies yn eu plith. Aeth i'w swydd gyntaf fel athro yn Stourbridge Road Primary School yn Halesowen, swydd Gaerwrangon. Ond, o fewn blwyddyn, dychwelodd i Gymru ac i swydd yn Ysgol Gynradd Tonyrywen, Caerdydd. Yna ym 1954 daeth cyfle iddo ddychwelyd i'w gynefin pan dderbyniodd swydd fel athro Cerdd yn Ysgol Uwchradd Pontarddulais, lle bu'n ddisgybl ei hun am gyfnod byr, flynyddoedd cynt. Ar yr un pryd fe'i penodwyd yn warden cynorthwyol yng

on its committee. Years after leaving the choir, and following the establishment of the male choir, Noel was honoured with 'life membership' of Côr Glandulais as a mark of respect.

Noel and Joan were married at St Gwynnog Church, Llanwnnog, Montgomeryshire on Easter Monday, 11 April 1955. After their honeymoon in the Lake District, they returned to a newly built house in Garden Village, Gorseinon, giving it the appropriate name, 'Llanwnnog'. It was their home for the remainder of their married life.

In his professional career, his next post was at Penlle'r-gaer Primary School, where he taught for a period before taking up a post as Deputy Head at Killay Primary School, Swansea. He eventually became the headmaster of that school, but not before some turmoil. Following the first interviews, with Noel among the candidates, it was decided not to appoint, but rather, to re-advertise the post. At that time, the power to appoint headteachers was vested in the county councillors, and some of them doubtless felt that Pontarddulais Male Choir, then at the height of its fame and reputation, would be Noel Davies's priority, rather than the school. There was probably an element of truth in that assertion, but Noel was a popular figure in the community and a familiar face nationally by that time, and was idolised by many. There were also whispers of jealousy of his success with the choir amongst some councillors. Be that as it may, the result of the decision to re-advertise the post was a storm of protest. This time, the reasons for his original rejection were forgotten, and Noel Davies was appointed headmaster of the school, and he remained there at Killay until he took early retirement in 1989.

Nghanolfan Icucnctid Pontarddulais, math o glwb a oedd yn cyfarfod yn wythnosol yn adeiladau'r ysgol uwchradd.

Er mwyn parhau â'i brofiadau corawl, ymunodd Noel a Chôr Glandulais, côr cymysg o bobl ifainc yn bennaf, a bu'n weithgar iawn ar y pwyllgor. Ymhen amser wedi iddo ffarwelio a'r côr, ac ar ôl iddo sefydlu'r côr meibion, fe anrhydeddwyd Noel yn 'aelod am oes' gan Gôr Glandulais fel cydnabyddiaeth o'i deyrngarwch i'r côr ac fel arwydd o barch tuag ato.

Priodwyd Noel a Joan yn Eglwys Sant Gwynnog, Llanwnnog, sir Drefaldwyn ar ddydd Llun y Pasg, 11 Ebrill 1955. Ar ôl treulio eu mis mêl yn Ardal y Llynnoedd, daethant adref i dŷ oedd newydd ei adeiladu ym Mhentre'r Ardd, Gorseinon, gan roi'r enw priodol 'Llanwnnog' arno. Hwn oedd eu cartref gydol eu bywyd priodasol.

O ran datblygiad ei yrfa fel athro o hynny ymlaen, treuliodd gyfnod yn Ysgol Gynradd Penlle'r-gaer, cyn symud i fod yn Ddirprwy Bennaeth Ysgol Gynradd Cilfái (Cilâ wedi hynny), Abertawe. Maes o law daeth yn bennaeth yr ysgol honno, ond nid cyn tipyn o gythrwfl. Yn dilyn y cyfweliadau cyntaf, a Noel ymhlith yr ymgeiswyr, ac yntau, cofier, eisoes yn ddirprwy yn yr ysgol, penderfynwyd peidio â phenodi, ond yn hytrach, ail-hysbysebu'r swydd. Bryd hynny, roedd grym penodi penaethiaid ysgolion yn nwylo'r cynghorwyr sirol, ac mae'n fwy na thebyg i rai ohonynt deimlo mai Côr Meibion Pontarddulais, a oedd erbyn hynny yn ei anterth, fyddai blaenoriaeth Noel Davies, yn hytrach na'r ysgol. Pwy all wadu nad oedd elfen o wirionedd yn y ddamcaniaeth honno, ond roedd Noel yn ffigwr poblogaidd yn y gymuned, yn wyneb cyfarwydd i'r genedl erbyn hynny ac yn eilun i lawer. Tybiwyd bod rhai cynghorwyr yn genfigennus o'i lwyddiant gyda'r côr. Beth bynnag am hynny, canlyniad y penderfyniad i ail-hysbysebu'r swydd oedd storm o brotest. Y tro hwn, anghofiwyd am y rhesymau pam yr anwybyddwyd ef y tro cyntaf, ac fe benodwyd Noel Davies yn bennaeth yr ysgol, ac yno yng Nghilâ y treuliodd weddill ei yrfa tan iddo ymddeol yn gynnar, ym 1989.

Y Pâr Ifanc
Ebrill/April 11, 1955
The Happy Couple

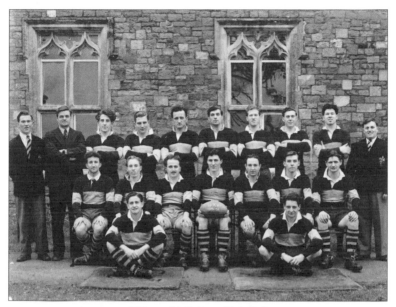

Tîm rygbi Coleg y Drindod
Trinity College rugby team

Ysgol Gynradd Cilâ
Killay Primary School

THE YOUTH CLUB

Most of the young people of Pontarddulais and the surrounding area who were still in full-time education in the 1950s would have been pupils in the grammar schools, secondary modern schools or one of the private schools in Llanelli and Swansea. A small minority of the older youngsters would have been at college or university, with the majority of the remainder in the workplace, perhaps in an office or working in the local tinplate works or coalmines. Had it not been for one significant institution, these groups of people would not have had the opportunity to meet each other, much less to have been able to participate in the same activities. That institution was the Pontarddulais Youth Centre, where over a hundred young people between the ages of fifteen and twenty-one were faithful members. This was the means of bringing together individuals from diverse backgrounds to work together and to enjoy themselves.

As previously stated, Joan was an experienced youth leader and working with young people in this kind of context was her main professional ambition. Noel, for a time, was the music teacher in the school where the club held its meetings, so it was entirely fitting that both should join the comparatively small staff at the youth centre – with Noel taking the position of assistant warden.

Youth clubs were at the height of their popularity in south Wales from this time until the mid sixties, and the Pontarddulais club was one of the most successful of all. Many of the clubs concentrated mainly on providing opportunities for social interaction only, whereas the Bont club organised a plethora of activities including woodwork, art, drama, gymnastics, games, choirs of female, male and mixed voices, as well as an orchestra. Noel conducted the musical activities,

Y Clwb Ieuenctid

Pe baent yn dal mewn addysg amser llawn yn y 1950au, yna byddai llawer o bobl ifainc y Bont a'r cyffiniau yn ddisgyblion mewn ysgolion gramadeg, ysgolion uwchradd modern neu yn un o'r ysgolion preifat oedd yn bodoli yn Llanelli ac Abertawe. Byddai lleiafrif bychan o'r bobl ifainc hŷn mewn coleg neu brifysgol, a'r mwyafrif o'r gweddill oedd dros bymtheng mlwydd oed yn y byd gwaith, efallai mewn swyddfa neu'n gweithio yn y gweithfeydd glo a thunplat lleol. Oni bai am un sefydliad allweddol, ni fyddai ieuenctid yr amryfal grwpiau yma o'r boblogaeth yn cael y cyfle i gwrdd â'i gilydd, heb sôn am gymryd rhan yn yr un gweithgareddau. Y sefydliad hwnnw oedd Canolfan Ieuenctid Pontarddulais, ac yno, yn y cyfnod dan sylw, roedd dros gant o bobl ifainc rhwng pymtheg ac un ar hugain mlwydd oed yn aelodau ffyddlon. Hwn oedd y cyfrwng i ddod ag unigolion o amrywiol gefndiroedd at ei gilydd, i gyfuno mewn awyrgylch o gydweithio a chyd-fwynhau.

Nodwyd eisoes bod gan Joan, priod Noel, brofiad fel arweinydd mewn clwb ieuenctid, ac yn wir, gweithio yn y math yma o gyddestun gyda phobl ifainc oedd yn mynd â'i bryd. A Noel, yntau, am gyfnod, yn athro Cerdd yn yr ysgol lle byddai'r clwb yn cyfarfod, nid oedd yn syndod o gwbl i weld y ddau yn ymddiddori yng ngwaith y ganolfan ac yn ymuno â'i staff – Noel fel warden cynorthwyol.

Roedd clybiau ieuenctid yn eu hanterth yn ne Cymru yn ystod y cyfnod hyd at ganol y chwedegau, a Chlwb y Bont yn flaenllaw iawn yn eu plith. Bodlonai nifer o'r clybiau ar ganolbwyntio ar yr ochr gymdeithasol, ond yng nghlwb y Bont roedd yr arlwy yn cynnwys gwaith coed, celf, drama, gymnasteg, chwaraeon, corau

and Joan took responsibility for netball, gymnastics, keep fit and dance with the girls.

Twice-weekly throughout the year, on Tuesday and Friday evenings, the boys and girls would come together to enjoy the various activities, with a significant number of them making musical pursuits a priority. No doubt with his own experience as a double bass player in mind, Noel formed an orchestra there, taking on the role of tutor and conductor himself. The players met early on a Friday evening, and the orchestral rehearsals attracted the occasional instrumentalist from outside the village. One of them was Tony Small from Pen-clawdd, a talented trumpet player who went on to found and direct a remarkably successful brass band in his home village. There were also other members whose names ultimately became well known, including Arwyn Walters, a gifted musician and conductor of the Dunvant Male Choir. A quarter of a century later, Noel and Arwyn and their respective choirs competed against each other in the chief male choir competition at the Swansea National Eisteddfod, 1982 – but that's another story!

Several members of the orchestra went on to play with the National Youth Orchestra of Wales, including the violinist Menna Williams, who years later became well known as the broadcaster Menna Gwyn. Another was Helena Davies – later Helena Braithwaite who did so much for musical education in Cardiff and beyond, and who achieved outstanding success with her choir, Cantorion Ardwyn. We saw in the opening chapter how Noel had been a fellow pupil of her brother, Haydn, in Gowerton School.

The highlight of the youth club meeting for over half of the members was the choir practice, where the boys and girls were able to join in the same activity. The popularity of singing was not surprising bearing in mind the tradition, already mentioned, of choral music within the village. After all, many of the young people's parents or relatives were members of the 'Côr Mawr' or Côr Glandulais. The young singers of the youth club would give the occasional concert or 'Noson Lawen' during the year, but two annual events developed into occasions of particular importance

merched, meibion a chymysg, ynghyd â cherddorfa hyd yn oed, a Noel wrth gwrs a gymerai at arwain y gweithgareddau cerddorol, tra byddai Joan yn gyfrifol am hyfforddi pêl rwyd, gymnasteg, cadw'n heini a dawns gyda'r merched.

Ddwywaith yr wythnos, ar nos Fawrth a nos Wener, trwy gydol y flwyddyn deuai'r bechgyn a'r merched ifainc at ei gilydd i fwynhau'r gweithgareddau, gyda nifer sylweddol ohonynt yn rhoi'r flaenoriaeth i bethau cerddorol. O gofio'i gefndir fel chwaraewr bas dwbl, nid oedd yn syndod gweld Noel yn ffurfio cerddorfa yno, ac yntau'n hyfforddi ac yn arwain. Byddai'r gerddorfa'n cwrdd yn gynnar ar y nos Wener, ac yn denu ambell chwaraewr o'r tu allan i Bontarddulais hefyd. Un ohonynt oedd Tony Small o Ben-clawdd, chwaraewr trwmped disglair a acth yn ei flaen i ffurfio band pres hynod lwyddiannus yn ei bentref genedigol. Daeth aelodau eraill yn enwau adnabyddus maes o law hefyd, gan gynnwys Arwyn Walters, cerddor dawnus ac arweinydd Côr Meibion Dyfnant. Chwarter canrif yn ddiweddarach byddai Noel ac Arwyn a'u corau yn cystadlu yn erbyn ei gilydd yn y brif gystadleuaeth i gorau meibion yn Eisteddfod Genedlaethol Abertawe, 1982 – ond stori arall yw honno!

Aeth sawl aelod o'r gerddorfa ymlaen i chwarae gyda Cherddorfa Ieuenctid Genedlaethol Cymru, gan gynnwys y chwaraewraig ffidil Menna Williams, a ddaeth flynyddoedd yn ddiweddarach yn adnabyddus fel y ddarlledwraig Menna Gwyn. Un arall oedd Helena Davies – sef Helena Braithwaite a wnaeth gymaint dros addysg gerddorol yng Nghaerdydd a thu hwnt, ac a brofodd lwyddiant ysgubol gyda'i chôr, Cantorion Ardwyn. Gwelsom eisoes yn ôl tystiolaeth *The Gowertonian* i Noel fod yn gyd-ddisgybl â'i brawd, Haydn, yn Nhre-gŵyr.

Uchafbwynt cyfarfodydd y clwb i dros hanner yr aelodaeth oedd yr ymarfer côr, lle byddai cyfle i'r bechgyn a'r merched ymuno yn yr un gweithgaredd. Nid oedd poblogrwydd canu yn syndod o gofio'r traddodiad o ganu corawl oedd yn bod eisoes o fewn y pentref. Wedi'r cyfan, roedd nifer o ricni'r bobl ifainc, ynghyd â pherthnasau eraill, yn aelodau o'r 'Côr Mawr' neu o Gôr

and significance, and both reflected the competitive edge that was such an integral part of Noel Davies's outlook from his early professional days.

The focus of attention for the musicians of the youth club was a combination of two eisteddfodau; one was the Glamorganshire Youth Eisteddfod, and the other was the 'National' itself. With Noel preparing all musical entrants for the Glamorganshire event – soloists, groups and choirs – the Bont Youth Centre was awarded the coveted Festival Shield for the club with the highest number of marks for a remarkable seven successive years. The musical competition was fierce from a number of other localities where youth clubs also acted as breeding grounds for emerging talents, under the direction of other noteworthy musicians. Among them were the centres at Caerau and Llynfi under the direction of Veronica Rees, Loughor with Myra Rees, Tonna with Eileen Gething-Jones, and Kenfig Hill with Alan James. More often than not, the venue for this special festival was the Porth-cawl Pavilion, though occasionally it visited Barry and Sandfields School in Port Talbot.

A somewhat longer journey, and a more exciting one for the young people of the Pontarddulais Youth Choir, was the one undertaken for their first visit to the National Eisteddfod, at Llangefni, Anglesey, in 1957. The requirements were rather challenging for youngsters who were still in their teens, as the youth choir competition was for those under thirty years of age. The test pieces were 'Yr Utgorn' by Matthews Williams, together with an arrangement of 'Robin Ddiog' by W. S. Gwynn Williams. Despite lavish praise for the young Pontarddulais choir, the competition was won by the London-Welsh Choir from a field of ten entrants. But the magic, enchantment and excitement of the festival had captured the imagination of the Bont singers, and that of their young conductor too. After all, he was still only in his late twenties. One of his lifelong characteristics was his willingness to learn and improve his own skills, and as a consequence raise the standards of his singers. He would listen intently to the remarks of adjudicators,

Glandulais. Byddai cantorion ifainc y Clwb Ieuenctid yn cynnal ambell gyngerdd a noson lawen yn ystod y flwyddyn, ond datblygodd dau uchafbwynt penodol i'w gweithgareddau blynyddol, a'r ddau yn adlewyrchu'r awch cystadleuol a berthynai i Noel Davies o'i ddyddiau proffesiynol cynnar.

Dwy eisteddfod oedd yn hoelio sylw cerddorion y Clwb Ieuenctid; y naill oedd Eisteddfod Ieuenctid Sir Forgannwg, a'r llall oedd 'Y Genedlaethol' ei hun. Gyda Noel yn hyfforddi pob un o'r cystadleuwyr cerddorol, yn unawdwyr, partïon a chorau, enillodd Canolfan y Bont darian yr ŵyl am y clwb uchaf ei farciau yn yr Eisteddfod Ieuenctid saith gwaith. Roedd y cystadlu cerddorol yn frwd iawn o du nifer o ardaloedd eraill hefyd, gyda'r clybiau yno hefyd yn feithrinfeydd pwysig dan ddylanwad cerddorion eraill o fri. Yn eu plith roedd canolfannau Caerau a Llynfi o dan arweiniad Veronica Rees, Casllwchwr dan arweiniad Myra Rees, Tonna ac Eileen Gething-Jones, a Mynydd Cynffig o dan arweiniad Alan James. Gan amlaf, Pafiliwn Porth-cawl oedd lleoliad yr ŵyl arbennig hon, er y byddai hefyd, ar adegau, yn ymweld â'r Barri ac Ysgol Sandfields ym Mhort Talbot.

Taith dipyn hirach a mwy cyffrous i'r bobl ifainc oedd eu hymweliad cyntaf â'r Eisteddfod Genedlaethol, a hynny yn Llangefni, Ynys Môn, ym 1957. Roedd amodau'r gystadleuaeth yn heriol i gantorion oedd yn dal yn eu harddegau, gan mai cystadleuaeth i rai dan 30 oed oedd y gystadleuaeth i gorau ieuenctid. Y darnau prawf oedd 'Yr Utgorn' gan Matthews Williams ynghyd â threfniant o 'Robin Ddiog' gan W. S. Gwynn Williams. Er y ganmoliaeth i gôr ifanc y Bont, Côr Cymry Llundain aeth â hi, allan o ddeg o gorau. Ond roedd hud a chyfaredd a chyffro'r Brifwyl wedi cydio yn nychymyg cantorion y Bont, a'u harweinydd ifanc hefyd. Cofier nad oedd yntau eto wedi cyrraedd ei ddeg ar hugain mlwydd oed.

Un o nodweddion Noel gydol ei oes oedd ei barodrwydd i ddysgu a gwella ei sgiliau ei hun, ac o ganlyniad codi safonau ei gantorion. Gwrandawai'n ofalus bob amser ar sylwadau beirniaid gan fyfyrio a phendroni dros yr hyn oedd ganddynt i'w ddweud.

meditating and considering thoughtfully what they had to say. He saw this as an integral part of the learning process, improving and moving on. The disappointment at Llangefni was short-lived. There was little doubt that the Pontarddulais Youth Choir would return to the National the following year, only a year older, but having learnt important lessons from their experiences in Llangefni.

And so, in 1958 at Ebbw Vale, the choir ventured once more to the youth choir competition at the National, where on this occasion six choirs were to compete against each other, and three distinguished musicians were to adjudicate: Elfed Morgan, Music Organiser in Carmarthenshire; W. S. Gwynn Williams, publisher of Welsh music and Director of the Llangollen International Eisteddfod, and Grace Williams, one of the nation's leading composers. The choirs were required to sing two test pieces – the love song 'Sêl ein Serch' by Albert Williams, and Gustav Holst's charming unaccompanied arrangement of the folk song, 'Mae 'Nghariad i'n Fenws'. Joyous celebrations greeted the announcement that the first prize of £30 and the MacMahon Memorial Cup had been won by the Pontarddulais Youth Choir. Here was a new choir adding to the prestige and rich tradition of choral singing in the Bont.

In the same eisteddfod, Noel Davies would have heard the choir of which his mother had been a member in earlier days, Ammanford, taking the first prize in the chief mixed choral competition, and then the Treorchy Male Choir winning the chief male choir competition. The remarkable musical prowess of the Pontarddulais area was further underlined with a second prize for the town's brass band in the Class A competition.

Next year's sojourn to the Caernarfon National proved unsuccessful, but a year later in Cardiff the Pontarddulais Youth Choir was placed second in the youth choir competition.

By this time, a significant number of members were approaching their twenty-first birthdays, in a youth club that accepted members from the age of fifteen. Older members were all too aware of this age difference, and felt a little uncomfortable, the

Gwelai hyn fel rhan hanfodol o'r broses o ddysgu, gwella a datblygu. Siom tymor byr oedd profiad Llangefni. Nid oedd amheuaeth y byddai aelodau Côr Ieuenctid Pontarddulais a'i harweinydd yn dychwelyd i'r Genedlaethol y flwyddyn ganlynol, ac er na fyddent ond blwyddyn yn hŷn, byddent wedi dysgu gwersi pwysig o'u profiadau ym mhrifwyl Llangefni.

Ac felly, flwyddyn yn ddiweddarach, dyma'r côr yn mentro arni unwaith eto ym 1958 yn Eisteddfod Genedlaethol Glynebwy. Y tro hwn, chwech o gorau oedd yn cystadlu, gyda phanel o gerddorion amryddawn eu talentau yn beirniadu: Elfed Morgan, Trefnydd Cerdd Sir Gaerfyrddin; W. S. Gwynn Williams, cyhoeddwr cerddoriaeth Gymraeg a Chyfarwyddwr Eisteddfod Ryngwladol Llangollen; a Grace Williams, un o gyfansoddwyr blaenllaw'r genedl. Bu'r corau wrthi'n dysgu ac yn ceisio perffeithio'r ddau ddarn prawf, sef 'Sêl ein Serch' gan Albert Williams, a threfniant digyfeiliant hudolus Gustav Holst o'r gân werin 'Mae 'Nghariad i'n Fenws'. Mawr oedd y cyffro a'r dathlu wrth i Gôr Ieuenctid Pontarddulais ddod i'r brig, gan ennill y wobr gyntaf o £30 a Chwpan Coffa MacMahon. Dyma gôr newydd eto felly yn ychwanegu at enw a thraddodiad hynod gyfoethog canu corawl ardal y Bont.

Yn yr un eisteddfod, byddai Noel Davies wedi clywed y côr y bu ei fam yn aelod ohono, sef Côr Rhydaman, yn ennill y brif gystadleuaeth i gorau cymysg, ac yna Gôr Meibion Treorci yn cipio'r wobr gyntaf yn y brif gystadleuaeth i gorau meibion. Pwysleisiwyd ymhellach ddoniau cerddorol rhyfeddol ardal Pontarddulais pan enillodd y band pres yr ail wobr yng nghystadleuaeth Dosbarth A i fandiau pres.

Taith aflwyddiannus a gafwyd i Eisteddfod Caernarfon ym 1959, ond flwyddyn yn ddiweddarach yng Nghaerdydd enillodd y côr yr ail wobr yn y gystadleuaeth i gorau ieuenctid.

Erbyn hyn, roedd carfan sylweddol o aelodau'r côr yn cyrraedd eu pen-blwydd yn un ar hugain, a chofier bod y clwb ieuenctid yn derbyn aelodau yn bymtheng mlwydd oed. Roedd yr aelodau hynaf yn ymwybodol iawn o'r gwahaniaeth yma mewn oedran, ac yn

boys perhaps more so than the girls. Some of the young men realised that their days with the youth club were coming to an end. Yet, because of Noel Davies's inspiration over the preceding years, music was in their blood, and there was an obvious desire to continue somehow. In preparing for the Glamorganshire Youth Eisteddfod over the years, the mixed choir would have occasionally split in order to compete in competitions for female and male voice competitions. The young men had particularly enjoyed the uniquely rich sounds created as they sang in four-part harmony. At the same time, Noel Davies did not wish to see these youngsters going their separate ways after their days at the youth club. Consequently, in the autumn of 1960, a plan was formulated to establish, on a trial basis, a small group of male singers, independent of the youth club, and rehearsing on a different evening, with Noel directing and conducting. We shall see in the next chapter how this venture was to develop.

However, for Noel Davies, the new venture was not to replace the youth club, and both Noel and Joan continued with their duties in the centre for many years. This was the time when I came to know them both, working as an accompanist with Noel for the first time. For many reasons, the youth clubs of south Wales in general were to decline in popularity and support during the sixties, and in the case of the Bont, the disappearance of the young men was obviously an added blow. Musical activities now continued on a smaller scale, with Noel concentrating on a female choir in the centre, but continuing to compete at the Glamorganshire Youth Eisteddfod. However, Noel was beginning to realise that his days at the youth club were also coming to an end, with his other responsibilities increasing substantially by the mid 1960s.

Characteristically, he felt that things should end with a bang! For his last youth eisteddfod in the Porth-cawl Pavilion, Noel invited some of the young men who had formerly been members of the club, and who were still within the age limit, to join the ladies to form a mixed choir for the very last time. The plan resulted in an outstanding performance and resounding victory, but it is a completely different

teimlo ychydig yn anghysurus, y bechgyn efallai'n fwy na'r merched. Sylweddolodd rhai o'r bechgyn fod eu dyddiau gyda'r clwb ieuenctid yn dirwyn i ben. Ond, oherwydd ysbrydoliaeth Noel Davies dros y blynyddoedd cynt, roedd canu yn eu gwaed, ac roedd dyhead amlwg yn eu plith i barhau â'r traddodiad hwn rywsut. Wrth baratoi ar gyfer Eisteddfodau Ieuenctid Sir Forgannwg dros y blynyddoedd, byddai'r côr cymysg wedi ymrannu er mwyn canu hefyd mewn cystadlaethau i bartïon merched a phartïon meibion. Roedd y bechgyn wrth eu bodd gyda'r seiniau cerddorol unigryw y gellid eu creu wrth i ddynion ganu mewn harmoni pedwar llais. Ar yr un pryd, nid oedd Noel Davies am weld y cantorion ifainc hyn yn mynd ar wasgar wedi i'w cyfnod yn y clwb ieuenctid ddirwyn i ben. Penderfynwyd felly, yn hydref 1960, i roi cynnig ar ffurfio parti meibion bychan, yn annibynnol bellach ar y clwb ieuenctid, a fyddai'n ymarfer ar noson wahanol, gyda Noel yn hyfforddi ac yn arwain. Gwelwn maes o law yr hyn a ddeilliodd o'r fenter newydd hon.

Ond, i Noel Davies, nid rhywbeth i ddisodli'r clwb ieuenctid oedd y gweithgarwch newydd, ac fe barhaodd Noel, a Joan hefyd, i gyflawni eu dyletswyddau yn y ganolfan am rai blynyddoedd. Dyma'r cyfnod y deuthum innau i adnabod y ddau, ac i gydweithio fel cyfeilydd gyda Noel am y tro cyntaf. Am amryw resymau, edwino fu hanes y clybiau ieuenctid yn gyffredinol yn ystod y chwedegau, ac yn achos clwb y Bont roedd diflaniad y bechgyn i gyfeiriadau newydd yn ergyd ychwanegol. Gweithgareddau cerddorol ar raddfa lai oedd yn bodoli bellach felly, gyda Noel nawr yn canolbwyntio ar gôr merched yn y ganolfan, a'r cystadlu yn Eisteddfod Ieuenctid Sir Forgannwg yn parhau. Ond roedd Noel yn sylweddoli fod ei ddyddiau yntau yn y clwb ieuenctid hefyd yn dirwyn i ben, gyda'i gyfrifoldebau eraill fel athro wedi cynyddu'n sylweddol erbyn canol y 1960au.

Penderfynodd y dylai pethau orffen gyda thipyn o glec! Ar gyfer ei eisteddfod ieuenctid olaf ym Mhafiliwn Porth-cawl, gwahoddodd Noel rai o'r hen aelodau gwrywaidd, a oedd yn dal o fewn oedran cystadlu, i ymuno â'r merched i ffurfio côr cymysg am y tro olaf un.

Noel gyda rhai o fechgyn y clwb ieuenctid, 1950au
Noel with some of the boys from the youth club, 1950's

1965. Eric Jones, Noel, Jennifer Clarke (Evans)
Llwyddiannau yn Eisteddfod Genedlaethol y Drenewydd
Successes at the National Eisteddfod, Newtown

1958. Côr Ieuenctid Pontarddulais yn Eisteddfod Genedlaethol Glynebwy

Pontarddulais Youth Choir at The National Eisteddfod, Ebbw Vale

highlight that has lingered in the memory from that particular eisteddfod. One of the competitions required a group to perform a folk song in a traditional manner, and Noel had noted with his typically mischievous sense of humour that there was no specific mention that the folk song should be a Welsh one. Since the boys would be present for the mixed choir competition, why couldn't they take the opportunity, as a male party, of performing something they particularly enjoyed singing informally together? The competition had attracted two groups only, and a delightful rendition of a Welsh folk song by a ladies' group from Loughor drew polite applause from the audience. However, after the boys from the Bont had sung their version of 'The Banana Boat Song', the young listeners went into a wild frenzy of support, as they had heard nothing like it in any eisteddfod. The adjudication was awaited with considerable anticipation, but the panel was made up of a rather conservative lot! The first prize was awarded to the ladies of Loughor, with special commendation for the gentlemen for their ambitious and original performance. It wasn't the most popular result of the day by a long way, but Noel had a broad grin on his face!

During his time at the Pontarddulais Youth Centre, Noel's singers were frequently called upon to entertain foreign guests and official visitors to Glamorgan, and he also conducted the county's youth Cymanfa Ganu. His expertise was greatly appreciated on the county music panel and he was a guest lecturer on courses for youth workers and leaders. Looking back, the events and developments that took place at the Pontarddulais Youth Centre during this period merit considerable acknowledgement and praise in themselves, of course, but from the standpoint of the musical history of the nation over the next decades, the significance of the centre lay in the fact that it had been a nursery for young singers who came together, after their time as members of the club, in order to form that which became known as the Pontarddulais Male Choir.

Ac felly y bu, gyda buddugoliaeth ysgubol hefyd. Ond uchafbwynt hollol wahanol sydd yn aros yn y cof o'r eisteddfod honno. Un o'r cystadlaethau oedd i barti gyflwyno unrhyw alaw werin mewn dull traddodiadol, ac roedd Noel wedi nodi, gyda'i ddireidi nodweddiadol, nad oedd sôn mai alaw werin Gymreig oedd gan yr eisteddfod mewn golwg. Gan fod y bechgyn yn bresennol ar gyfer y côr cymysg, beth am iddynt, fel parti meibion, gyflwyno rhywbeth yr oeddent yn hoffi ei ganu'n anffurfiol gyda'i gilydd? Dau barti oedd yn y gystadleuaeth, ac fe gafwyd perfformiad clodwiw o alaw werin Gymreig gan barti merched Clwb Casllwchwr, ac fe'u cymeradwywyd yn gwrtais gan y gynulleidfa. Ond ar ôl datganiad bechgyn y Bont o'r 'Banana Boat Song' fe aeth y gwrandawyr ifainc yn wyllt eu cefnogaeth, gan nad oeddent eriocd wedi clywed dim byd tebyg mewn unrhyw eisteddfod. Arhoswyd yn eiddgar am y feirniadaeth. Tybed beth fyddai'r canlyniad? Ond panel ceidwadol oedd wrthi! Dyfarnwyd y wobr i ferched Casllwchwr, gyda chymeradwyaeth arbennig i'r bechgyn am eu perfformiad mentrus a gwreiddiol. Nid hwnnw oedd dyfarniad mwyaf poblogaidd y dydd o bell ffordd, ond gwên fawr lydan oedd ar wyneb Noel, serch hynny!

Yn ystod ei gyfnod gyda'r ganolfan ieuenctid, bu galw ar gantorion Noel i ddiddanu ymwelwyr tramor â sir Forgannwg ar sawl achlysur. Bu Noel hefyd yn arwain cymanfaoedd canu ieuenctid y sir. Gwerthfawrogwyd ei arbenigedd ar banel cerdd y sir, a bu'n ddarlithydd gwadd ar gyrsiau i arweinwyr a gweithwyr ieuenctid. Wrth edrych yn ôl, mae'r hyn a ddigwyddodd yng Nghanolfan Ieuenctid Pontarddulais yn y cyfnod dan sylw yn haeddu cydnabyddiaeth a chanmoliaeth ynddo'i hun wrth gwrs, ond o safbwynt hanes cerddorol y genedl dros y degawdau nesaf pwysigrwydd y ganolfan oedd iddi fod yn fagwrfa ac yn feithrinfa i gantorion ifainc a ddaeth at ei gilydd, wedi i'w cyfnod fel aelodau o'r clwb ddirwyn i ben, i ffurfio'r hyn a ddatblygodd i fod yn Gôr Meibion Pontarddulais.

PONTARDDULAIS MALE CHOIR –
THE EARLY YEARS

In the wider context of musical achievements in Pontarddulais at the time, the efforts of the young men who had recently left as members of the youth centre to continue with their musical activities were of comparatively little significance. After all, in the autumn of 1960 Côr Glandulais was going from strength to strength, with concert and competitive work, and the brass band had established a national reputation as one of the best. And most of all, the Choral Society, the 'Côr Mawr', by that time had reached incomparable status under the remarkable direction of T. Haydn Thomas, already mentioned earlier. This is an impressive story in itself, particularly perhaps the relationship between the choir and the Swansea Festival of Music, held annually in the autumn with a series of concerts in the Brangwyn Hall. One of the highlights of every festival was the performance of an extended choral work, and the 'Côr Mawr' was invited to sing in eleven such concerts over the years, in works such as settings of the *Requiem* by Verdi and Brahms, oratorios such as *The Creation* by Haydn and Mendelssohn's *Elijah*, as well as new works by contemporary Welsh composers such as Daniel Jones, Arwel Hughes and Ian Parrott. For these occasions, T. Haydn's job was to train and prepare the choir, handing over the responsibility of conducting to professional musicians, amongst whom were world-renowned conductors such as Adrian Boult, Nicolai Malko, Hugo Rignold and John Barbirolli.

However, with the passage of time, an irony developed, because as the efforts of the young men from the youth club began to bear

CÔR MEIBION PONTARDDULAIS –
Y BLYNYDDOEDD CYNNAR

Yng nghyd-destun cerddoriaeth yn gyffredinol ym Mhontarddulais yn hydref 1960, cymharol ddi-nod oedd ymdrechion bechgyn ifanc y ganolfan ieuenctid i barhau â'u gweithgareddau cerddorol wedi iddynt ymadael â'r clwb ei hun. Wedi'r cyfan, roedd Côr Glandulais yn mynd o nerth i nerth, yn cynnal cyngherddau ac yn cystadlu, ac yr oedd y band pres wedi ennill ei blwyf ymhlith goreuon Cymru benbaladr. Yn fwy na dim, roedd y Gymdeithas Gorawl – y 'Côr Mawr' erbyn hynny wedi cyrraedd statws digymar dan gyfarwyddyd y rhyfeddol T. Haydn Thomas y cyfeiriwyd ato eisoes. Dyma stori anhygoel ynddi ei hun, yn arbennig efallai gysylltiad y côr â Gŵyl Gerdd Abertawe, a gyflwynai gyfres o gyngherddau yn flynyddol yn Neuadd y Brangwyn bob hydref. Un o uchafbwyntiau pob gŵyl oedd perfformiad o waith corawl estynedig, ac fe wahoddwyd y 'Côr Mawr' i ganu mewn un ar ddeg o'r cyfryw gyngherddau ar hyd y blynyddoedd, gan berfformio gweithiau megis gosodiadau o'r *Requiem* gan Verdi a Brahms, oratorïau fel *Y Greadigaeth*, Haydn, ac *Elias*, Mendelssohn, ynghyd â gweithiau newydd gan gyfansoddwyr cyfoes o Gymru fel Daniel Jones, Arwel Hughes ac Ian Parrott. Ar gyfer yr achlysuron yma, gwaith T. Haydn oedd hyfforddi a pharatoi'r côr, gan drosglwyddo'r cyfrifoldeb o arwain i gerddorion proffesiynol, yn eu plith arweinyddion byd-enwog fel Adrian Boult, Nicolai Malko, Hugo Rignold a John Barbirolli.

Ond yn eironig, gyda threigl amser, wrth i ymdrechion bechgyn ifanc y clwb ieuenctid gynt flodeuo, y gwrthwyneb fu hanes y 'Côr Mawr', gan edwino'n raddol nes i'r côr beidio â bod erbyn canol y

fruit, the opposite was true of the 'Côr Mawr', with a gradual decline until the choir was dissolved in the mid sixties. Although several complex factors had combined to cause this sad situation, it cannot be denied that the remarkable growth of Pontarddulais Male Choir had contributed to it, as it undoubtedly had an adverse effect on the recruitment of male singers for the 'Côr Mawr'. Neither can it be denied that a degree of ill feeling existed in some quarters, though this disappeared as the success of the male choir became more and more evident.

How was it, then, that a small group of young men developed into a genuine 'male choir'? Remarkably, at least in terms of an official title, it happened within a week! The first meeting was held on 19 October 1960 with about two dozen members present, most of whom were former members of the youth choir, but with an extra one or two who were also interested in singing. Noel Davies was nominated as conductor, Brian Llewelyn as accompanist, and four were elected as members of the first committee – Frank Thomas, Alun Rees, Gareth Davies and Philip Jones (brother of the author of this volume). All those present were asked to consider an appropriate name for the 'choir', and within a week it was decided, with the typically innocent audacity of the young, that the grand title 'Côr Meibion Pontarddulais' – 'Pontarddulais Male Choir' should be adopted.

It was not only musical issues that needed Noel's attention, as the members at the very beginning were inexperienced in terms of organisational and administrative matters. His wisdom was prevailed upon, therefore, in creating appropriate management structures for the choir as well.

Noel Davies set out his stall from the very beginning. On all musical matters he would have the last word, and the members of his choir were more than ready to accept this. There would be no discussion on what to sing, where, and certainly not how, and that's how things were for forty years. The man at the helm was determined, enthusiastic, energetic, ambitious and remarkably loyal to his choir, and because he placed an emphasis on the pastoral care

chwedegau. Er bod nifer o ffactorau digon cymhleth wedi cyfuno i arwain at y sefyllfa drist honno, ni ellir gwadu i dwf syfrdanol Côr Meibion Pontarddulais gyfrannu at y sefyllfa, gan iddo amharu'n amlwg ar y broses o recriwtio dynion i'r 'Côr Mawr'. Ni ellir gwadu chwaith nad oedd elfen o ddrwgdeimlad yn bodoli o ambell gyfeiriad, er i hwnnw ddiflannu wrth dystio i lwyddiant y côr meibion.

Sut felly y datblygodd parti bychan o fechgyn yn 'gôr meibion' go iawn? Yn rhyfeddol, o ran enw ar bapur beth bynnag, fe ddigwyddodd o fewn wythnos! Cynhaliwyd y cyfarfod cyntaf ar 19 Hydref 1960 gydag oddeutu dau ddwsin o aelodau yn bresennol, y rhan fwyaf ohonynt yn gyn-aelodau'r côr ieuenctid, ond gydag ambell un ychwanegol oedd â diddordeb mewn canu. Enwebwyd Noel Davies yn arweinydd a Brian Llewelyn yn gyfeilydd, ac etholwyd pedwar fel aelodau'r pwyllgor cyntaf, sef Frank Thomas, Alun Rees, Gareth Davies a Philip Jones (brawd awdur y gyfrol hon). Gofynnwyd i bawb oedd yn bresennol feddwl am enw priodol i'r 'côr', ac o fewn wythnos penderfynwyd, gyda beiddgarwch diniwed yr ifanc, ar y teitl crand 'Côr Meibion Pontarddulais'.

Nid ar yr ochr gerddorol yn unig yr oedd angen arweiniad Noel Davies, oherwydd dibrofiad iawn oedd yr aelodau ar y cychwyn ynghylch materion yn ymwneud â threfniadaeth a gweinyddiaeth. Pwyswyd ar ei ddoethineb, felly, wrth greu strwythur rheoli i'r côr.

Gosododd Noel Davies ei stamp o'r cychwyn cyntaf. O safbwynt unrhyw benderfyniadau cerddorol, roedd yn unben, ac roedd aelodau ei gôr yn fwy na pharod i dderbyn hynny. Nid oedd trafodaeth o ran beth i ganu, ble nac yn sicr sut, a dyna fu'r drefn am ddeugain mlynedd. Gŵr penderfynol, brwd, egniol, uchelgeisiol a rhyfeddol o deyrngar i'w gôr oedd wrth y llyw, a chan iddo bwysleisio elfen fugeiliol a datblygiad personol ei gantorion ifanc, yn ogystal â'u datblygiad cerddorol, talwyd ei deyrngarwch yn ôl ar ei ganfed.

Gellir disgrifio'r *repertoire* ar y cychwyn fel un ceidwadol a diogel, gan barhau i raddau helaeth gyda'r darnau a ganwyd gan y bechgyn yn y clwb ieuenctid, gan amlaf yn drefniannau o emyn donau ac alawon gwerin. Ar yr un pryd, sefydlwyd yr egwyddor o

and personal development of his young singers, his devotion was repaid a hundredfold.

The repertoire at the beginning could be described as conservative and safe, continuing to a large extent with the pieces sung by the boys in the youth club, typically arrangements of hymn-tunes and folk songs. At the same time a principle was established that the repertoire would be expanded in line with the musical development of the choir. Within months only, Noel was of the opinion that his choir was ready to give its first public performance, and on 18 February 1961 a concert was given at the little hall in Garnswllt, a small hamlet on the outskirts of Pontarddulais. A minute in the next committee meeting noted that the conductor deemed the concert a success. Members of the choir were well aware that pleasing this particular musician was no mean feat, and having heard his positive remarks their confidence increased markedly. During the first year, some dozen or so concerts were given for local organisations and societies, and Noel had already decided that the choir, and he himself, would benefit from competing. In these early months, then, the choir ventured to the Loughor eisteddfod, where they came up against one of the longest established and most experienced male choirs in Wales – the Dunvant Male Choir. The inevitable result was a victory for Dunvant, but in a magnanimous gesture, talked about to this day, half of the £30 prize money was given by Dunvant to the new choir in order to quell any feelings of disappointment. That remarkable story is a priceless part of the history of the Pontarddulais Male Choir, and there is no truth whatsoever in another story told years later by one wag from the Bont choir, after the Bont had reached the dizzy heights, that Dunvant had asked for their £15 to be refunded!

Whereas the youth club met on Tuesday and Friday evenings, the male choir rehearsed on Wednesday evening. Now, however, having been reminded of the standard of Wales's male choirs as a result of Dunvant's victory, Noel decided to add a second weekly rehearsal on Sunday evenings. The conductor was still keen to hear the objective views of adjudicators on his choir, and off they went again on 3 June 1961 to sing in a competition in the early hours of the morning at

geisio ehangu'r *repertoire* yn unol â chynnydd cerddorol y côr. O fewn misoedd yn unig, roedd Noel o'r farn bod ei gôr yn barod i roi eu perfformiad cyhoeddus cyntaf, ac ar 18 Chwefror 1961 rhoddwyd cyngerdd yn neuadd fach Garnswllt, treflan fechan ar gyrion Pontarddulais. Cofnodir yng nghyfarfod dilynol y pwyllgor i'r cyngerdd, ym marn yr arweinydd, fod yn llwyddiant. Roedd aelodau'r côr yn llwyr ymwybodol nad oedd y cerddor arbennig hwn yn un hawdd iawn ei blesio, ac felly, ar ôl clywed ei sylwadau cadarnhaol, cynyddu a wnaeth yr hyder.

Yn ystod y flwyddyn gyntaf cynhaliwyd rhyw ddwsin o gyngherddau i fudiadau a chymdeithasau lleol, ac roedd Noel eisoes wedi penderfynu y byddai'r côr, ac yntau hefyd, yn elwa o gystadlu. Felly, yn y misoedd cynnar yma, dyma'r côr yn mentro arni yn Eisteddfod Casllwchwr, ac yn cyfarfod yn y gystadleuaeth honno ag un o gorau meibion hynaf a mwyaf profiadol Cymru – Côr Meibion y Dyfnant. Y canlyniad anochel oedd buddugoliaeth i'r Dyfnant, ond, mewn gweithred y sonnir amdani hyd heddiw, cyflwynwyd hanner y wobr o £30 gan gôr y Dyfnant i'r côr newydd i'w hannog i ddal ati heb ddigalonni. Mae'r stori ryfeddol honno yn rhan amhrisiadwy o hanes Côr Meibion Pontarddulais, ac nid oes unrhyw wirionedd o gwbl mewn stori arall o enau un o ddigrifwyr Côr y Bont, flynyddoedd yn ddiweddarach, wedi i'r Bont gyrraedd yr uchelfannau, fod Dyfnant wedi gofyn am eu £15 yn ôl!

Ar nos Fercher y cynhelid ymarfer y côr meibion ar y dechrau, ond bellach, ac yntau wedi ei atgoffa o safonau corau meibion Cymru trwy fuddugoliaeth Dyfnant, penderfynodd Noel ychwanegu ymarfer wythnosol ar nos Sul. Roedd yr arweinydd yn dal yn frwd i glywed barn wrthrychol beirniaid am ei gôr, ac felly ymaith â nhw ar 3 Mehefin 1961 i ganu mewn cystadleuaeth yn oriau mân y bore yn Eisteddfod Blaendulais. Tri chôr oedd yn cystadlu, a'r Bont yn dod yn drydydd. Gwaith caled, ymarferion ychwanegol, cyngherddau bychain lleol yn unig, a siom wrth gystadlu – dyna fu hynt a helynt y côr yn y flwyddyn gyntaf honno. Ai ar y tywod yr adeiladwyd y tŷ hwn? Mae tri darn o dystiolaeth yn profi i'r gwrthwyneb, ac yn dangos ôl seiliau cadarnach o lawer.

Seven Sisters Eisteddfod. Of the three competing choirs, the Bont came third. Hard work, extra rehearsals, small local concerts only, and disappointments in competitions – this was the fortune, or, more accurately, the misfortune of the choir during that first year. Had the house been built on sand? Three pieces of evidence suggest to the contrary, and indicate much firmer foundations.

First of all, within that opening year, the number of singers increased to over sixty, with an average age of 26. This was substantial growth indeed, bearing in mind that there was a choice of successful and famous male choirs within a stone's throw of the Bont, including Manselton (Swansea), Dunvant and Morriston Orpheus. Secondly, there were interesting developments in terms of repertoire, because Noel Davies understood the fundamental connection between the quality of the music sung and the musical standards of the choir. Some of the major and well-known choruses from the world of male choirs were mastered, such as 'Comrades in Arms' (Adolphe Adam) and 'Crossing the Plain' (Maldwyn Price), together with challenging works by classical composers such as Mozart, Schubert and Elgar. Thirdly, there was no loss of confidence in the competitive arena despite the experiences at the first two eisteddfodau. Given his own background, it was only natural that Noel was keen to support the Miners' Eisteddfod in Porth-cawl, but this was a large-scale, annual festival that attracted prestigious male choirs. In October 1961 a dozen choirs engaged in battle, among them, the nation's youngest choir. Here was the first sign outside of the Bont that something significant was taking place as regards this new choir, as they won third prize in a line-up of so many experienced choirs. It was a great source of pride to be in the winning frame with the victors, the famous 'Ferndale Imperial' and the runners-up, the equally famous 'Rhymney Silurian'.

Noel Davies was always determined to ensure the complete loyalty of his singers and could be very obstinate on this point. That year the 'Côr Mawr' was once again to sing in the Swansea Festival, on this occasion in a performance of Beethoven's Choral Symphony, and by this time, of course, the vocal balance of the choir was being undermined by the dearth of male singers. Consequently, some

Yn gyntaf, o fewn y flwyddyn y sefydlwyd y côr cynyddodd nifer y cantorion i dros chwe deg, gyda chyfartaledd oedran o 26. Twf sylweddol oedd hwn o gofio bod yna ddewis o gorau meibion llewyrchus ac enwog yn yr ardal, dafliad carreg yn unig o'r Bont, megis Trefansel (Abertawe), Y Dyfnant ac Orpheus Treforys. Yn ail, gwelwyd datblygiad diddorol o ran *repertoire*, oherwydd yr oedd Noel Davies yn deall y berthynas allweddol rhwng ansawdd y gerddoriaeth a genid a safonau cerddorol y côr. Dysgwyd rhai o gytganau mawr ac enwog y byd corau meibion, megis 'Comrades in Arms' (Adolphe Adam) a 'Crossing the Plain' (Maldwyn Price) ynghyd â darnau heriol gan gyfansoddwyr clasurol fel Mozart, Schubert ac Elgar. Yn drydydd, ni chollwyd hyder o ran cystadlu er gwaethaf profiadau'r ddwy eisteddfod gyntaf. O gofio'i gefndir, nid oedd yn syndod gweld awydd Noel i gefnogi Eisteddfod y Glowyr ym Mhorth-cawl, ond roedd hon yn ŵyl flynyddol fawr ac yn denu corau meibion o fri. Yn Hydref 1961 daeth dwsin o gorau i ymgiprys â'i gilydd, ac yn eu plith gôr ieuengaf y genedl. Dyma'r arwydd cyntaf y tu allan i gyffiniau'r Bont fod rhywbeth arwyddocaol ar waith gyda dyfodiad y côr newydd hwn, wrth iddynt ennill y drydedd wobr o blith cynifer o gorau profiadol. Testun balchder oedd bod yng nghwmni'r buddugwyr, yr enwog 'Ferndale Imperial' ac enillwyr yr ail wobr, yr un mor enwog 'Rhymney Silurian'.

Yr adeg hon eto gwelwyd enghraifft o ystyfnigrwydd Noel Davies a'i awydd i fynnu teyrngarwch llwyr ei gantorion. Gwahoddwyd y 'Côr Mawr' unwaith eto i ganu yng Ngŵyl Abertawe, mewn perfformiad o Symffoni Gorawl Beethoven y tro hwn, ac erbyn hyn, wrth gwrs, roeddent yn dechrau dioddef o brinder dynion o ran cydbwysedd lleisiol, ac fe wahoddwyd rhai o aelodau'r côr meibion i'w helpu, dros dro, ar gyfer y perfformiad. Gwelodd ambell un gyfle i ehangu ei orwelion cerddorol a dyfnhau ei brofiadau, gan na fyddai ymarferion y ddau gôr yn gwrthdaro â'i gilydd. Ond nid dyna sut roedd Noel yn ei gweld hi o bell ffordd, ac fe fynegodd ei safbwynt yn gwbl glir. Dim ond un neu ddau a safodd eu tir a pharhau i helpu'r 'Côr Mawr', gyda'r gweddill yn

members of the male choir were invited to help out temporarily for the performance. Some saw it as an opportunity to expand their musical horizons and broaden their experience, since the rehearsal of the two choirs wouldn't clash anyway. However, Noel did not see things in the same way at all, and made his views known in no uncertain terms. Only one or two stood their ground and continued to help the 'Côr Mawr', with the others deciding to forget the invitation. Noel never changed his position on this issue throughout his forty years with the choir, although the odd one or two succeeded in singing with other choirs from time to time. They never received his blessing, but he wasn't one to bear a grudge either. In any event, the episode did nothing for the relationship between the two choirs. However, such tensions were not to last very long, and T. Haydn Thomas became one of the most stalwart of the male choir's supporters, a patron who was generous in his words of praise at times of particular successes, as many of his letters and cards to Noel Davies testify.

Having competed with his youth choir in the National Eisteddfod annually from 1957 until 1960, Noel Davies decided to return to the festival, this time with his new choir, as the Eisteddfod in August 1962 was to be held close to home, in Llanelli. At that time, choirs of more than eighty voices competed in the 'Chief Competition' whereas those with fewer participated in the 'Second Competition'. Choirs were required to register their entries months before the Eisteddfod, and at that point, with the Bont not having crossed the threshold of eighty, it was decided to compete in the 'Second Competition'. Ironically, by August the number of singers had shot up to over a hundred, and selection had to take place based on attendance at rehearsals. The two challenging test pieces were 'Y Ffoadur' by Tawe Jones and 'De Profundis' by Vincent Thomas. With thirteen choirs competing, the Bont choir was awarded the second prize, a cause for great celebration bearing in mind the background and experience of all other choirs in the competition. On this occasion, the Silurian Singers, conducted by Glynne Jones, were the victors. As a result of the substantial growth in membership of the Bont choir, Noel was well aware of one obvious fact: next time, the choir would be competing in the 'Chief' event,

penderfynu anghofio'r gwahoddiad. Ni newidiodd Noel ei farn yn hyn o beth trwy gydol ei ddeugain mlynedd gyda'r côr, er i un neu ddau lwyddo rywsut i ganu gyda chorau eraill hefyd o bryd i'w gilydd. Ni chawsant sêl ei fendith, ond nid oedd yn un i ddal dig chwaith. Beth bynnag am hynny, ar y pryd, ni wnaethpwyd unrhyw ddaioni i'r berthynas rhwng y côr meibion a'r 'Côr Mawr'. Nid oedd y tensiwn hwnnw i barhau, serch hynny, ac fe ddaeth T. Haydn Thomas yn un o gefnogwyr mawr y côr meibion, yn noddwr ac yn barod iawn ei air o ganmoliaeth ar achlysuron llwyddiannau arbennig, fel y mae nifer o'i lythyron a'i gardiau at Noel Davies yn tystio.

A'i gôr ieuenctid wedi cystadlu'n flynyddol yn y Genedlaethol rhwng 1957 a 1960, penderfynodd Noel Davies ddychwelyd i'r ŵyl, y tro hwn gyda'i gôr meibion newydd, gan fod yr Eisteddfod yn Awst 1962 yn cael ei chynnal ar drothwy'r drws yn Llanelli. Wyth deg o leisiau oedd y ffin a osodwyd yr adeg honno rhwng 'y Brif Gystadleuaeth' a'r 'Ail Gystadleuaeth' i gorau meibion. Roedd angen cofrestru'r côr fisoedd cyn yr eisteddfod wrth gwrs, a phryd hynny, gan nad oedd niferoedd y côr wedi croesi trothwy'r wyth deg, penderfynwyd cystadlu yn yr 'Ail Gystadleuaeth'. Serch hynny, erbyn Awst roedd y niferoedd wedi cynyddu a chroesi'r cant, a bu'n rhaid dethol, a hynny ar sail presenoldeb mewn ymarferion. Y ddau ddarn prawf heriol oedd 'Y Ffoadur' gan Tawe Jones, a 'De Profundis' gan Vincent Thomas. Gyda thri ar ddeg o gorau'n cystadlu, enillwyd yr ail wobr gan Gôr y Bont, a mawr fu'r dathlu o gofio cefndir a phrofiad yr holl gorau eraill yn y gystadleuaeth. Cantorion Silurian oedd y buddugwyr y tro hwn, dan arweiniad Glynne Jones. O weld y twf aruthrol a fu eisoes yn niferoedd Côr y Bont, roedd Noel Davies yn ymwybodol o un ffaith amlwg. Y tro nesaf, byddai'n rhaid i'r côr gystadlu yn y 'Brif Gystadleuaeth', ac wynebu'r posibilrwydd cryf o gwrdd unwaith eto â Glynne Jones, y tro hwn gyda'i gôr arall, Côr Meibion Pendyrus.

Roedd 1962 hefyd yn flwyddyn arwyddocaol gan fod y côr wedi derbyn eu gwahoddiad cyntaf i deithio tu hwnt i Glawdd Offa, i ŵyl

with the probability of meeting Glynne Jones again – this time with his other choir, Pendyrus.

The year 1962 was also significant for the choir's first invitation to travel beyond Offa's Dyke, to a music festival in Bromsgrove, where organisers had decided to give an opportunity to a promising young choir from Wales, rather than one of the well-known giants. And at the end of that year, the choir held its first annual concert in the village's new welfare hall, previously the Tivoli Cinema, now renewed and modernised.

What would Noel Davies's response have been at that time had someone offered him a contract as conductor of the choir for a period of forty years? What was going through his mind on seeing the rapid progress of his choir? He must have realised the enormous potential and the considerable promise of greater things. His response reflected two characteristics of his personality – his modest nature on the one hand, but on the other his lack of self-confidence as a result of not having had the academic musical education that others had received. He was responsible for conducting a choir of enthusiastic and promising singers, and he felt a duty to learn more about training a male choir in particular, and to improve his own technical skills in terms of conducting.

Manselton Male Choir (nowadays known as Swansea Male Choir) has already been mentioned. During this period, the choir was acknowledged as one of the giants among the male choirs of Wales, winners of the 'Chief Competition' at the National on two occasions in the fifties, and certainly in the same league as Morriston Orpheus, Treorchy and Pendyrus from the south, and Rhosllannerchrugog from the north. The choir's experienced conductor was Emrys Jones, famed for his popular religious pieces, 'Morte Christe' and 'Lily of the Valley', for male choirs. Emrys Jones was a self-taught musician, with no formal qualifications, but he was an incomparable choirmaster, with a remarkable talent for organ extemporisations based on various hymn-tunes. Unbeknown to many, Noel would visit Emrys Jones regularly for help and advice, showing his willingness to learn from an individual with greater experience. It is interesting to

gerddorol yn Bromsgrove, lle'r oedd y trefnwyr yn dymuno rhoi llwyfan i gôr addawol newydd o Gymru yn hytrach nag un o'r cewri adnabyddus. Ar ddiwedd y flwyddyn honno hefyd cynhaliwyd cyngerdd blynyddol cyntaf y côr yn Neuadd Les newydd y pentref, sef hen sinema'r Tivoli a oedd wedi'i hadnewyddu a'i haddasu.

Beth fyddai ymateb Noel Davies wedi bod yr adeg honno petai rhywun wedi cynnig cytundeb iddo fod yn arweinydd y côr am gyfnod o ddeugain mlynedd? Beth oedd yn mynd trwy ei feddwl tybed wrth weld cynnydd sydyn ei gôr? Rhaid ei fod yn sylweddoli'r potensial aruthrol, a'r addewid pendant oedd yn bodoli. Roedd ci ymateb yn adlewyrchu dwy nodwedd amlwg o'i gymeriad – ei natur ddiymhongar ar y naill law, a'i ddiffyg hunanhyder ar y llaw arall, oherwydd na chafodd yr addysg academaidd gerddorol, ffurfiol a gafodd eraill. Roedd yn gyfrifol am arwain côr o gantorion brwd ac addawol, ac roedd dyletswydd arno, yn ei dyb ef, i ddysgu mwy am hyfforddi corau meibion yn benodol, ac i wella eto ar ei sgiliau technegol o ran arwain.

Cyfeiriwyd eisoes at Gôr Meibion Trefansel (a adwaenir heddiw fel Côr Meibion Abertawe). Yn y cyfnod dan sylw cydnabyddid y côr fel un o'r cewri ymhlith corau meibion Cymru, yn enillwyr y 'Brif Gystadleuaeth' yn y Genedlaethol ddwy waith yn y pumdegau, ac yn sicr yn yr un gynghrair â mawrion y dydd megis Orpheus Treforys, Treorci a Phendyrus o'r de, a Rhosllannerchrugog o'r gogledd. Arweinydd profiadol y côr oedd Emrys Jones, a anfarwolwyd trwy ei ddarnau crefyddol poblogaidd i gorau meibion, 'Morte Criste' a 'Lily of the Valley'. Cerddor hunan-ddysgedig oedd Emrys Jones, heb unrhyw gymwysterau ffurfiol, ond roedd yn gorfeistr heb ei ail, a pherthynai iddo ddawn arbennig i greu datganiadau byrfyfyr ar yr organ, yn seiliedig ar ryw emyn dôn neu'i gilydd. Heb yn wybod i lawer, byddai Noel yn ymweld ag Emrys Jones yn rheolaidd am hyfforddiant a chyngor, gan amlygu ei barodrwydd i ddysgu oddi wrth rywun mwy profiadol. Mae'n ddiddorol mai troi at gerddor hunanddysgedig a wnaeth Noel – dau o'r un anian i raddau, er nad oedd Noel yn meddu ar natur ecsentrig

81

note that it was to a self-taught musician that Noel turned – two of the same mould to some extent, although Noel did not share Emrys Jones's eccentricity, reflected in the brass plate on his house in Kildare Street, Manselton, which bore the grandiose wording, 'Emrys Jones, Professor of Music'! During the following decades several young and aspiring conductors turned to Noel himself for advice and guidance, which was given most readily on all occasions.

Noel was a full-time teacher of course, still working in the youth centre, and now also immersed in the increasingly bustling activities of his new choir. How could he access training of the highest standard as a conductor with so little free time available to him? The leading London music colleges virtually suspended their formal classes during the summer holiday period, but at the Royal Academy of Music some of the teaching staff used the institution as a location for informal master classes during holidays, including sessions for conductors. This was the answer and, again unbeknown to many, Noel registered for those classes and attended several of them, feeling sure that both he and his choir would benefit as a result.

The chief male choir competition at the Llandudno National Eisteddfod in 1963 was, to say the least, controversial, with much of the press speculation beforehand referring to the forthcoming battle between David and Goliath, as only two choirs were to compete – Pontarddulais and Pendyrus. It would be no disgrace whatsoever if the young Pontarddulais choir were to lose against such experienced and formidable opponents, but things did not turn out that way. The Bont were the victors, and comfortably so according to the marking of the adjudicators – two test pieces, one of which, incidentally, was to be sung in Latin, and a difference of thirteen in the overall marks for the two choirs. An indication of the intense interest that prevailed at that time in choral singing and the competitions at the National was a protracted correspondence in the *Western Mail* in the weeks following the result. The adjudicators of the competition – W. Matthews Williams, John Hughes and Graham Thomas – were criticised from more than one quarter, with several correspondents questioning the decision. Despite the fuss, the celebrations continued unabated in the Bont!

Emrys Jones, a adlewyrchwyd yn y plac pres a osododd ar ei dŷ yn Heol Kildare, Trefansel, yn dwyn y geiriau mawreddog, 'Emrys Jones, Professor of Music'! Yn y degawdau i ddod fe drodd nifer o arweinwyr ifanc at Noel ei hun am yr un math o gymorth a chyfarwyddyd, ac yntau mor barod i roi o'i amser a'i ddawn.

Rhaid cofio bod Noel yn athro amser llawn wrth gwrs, a'i fod yn dal i hyfforddi yn y ganolfan ieuenctid. Roedd bellach hefyd yng nghanol prysurdeb cynyddol gweithgareddau ei gôr newydd. Sut gallai elwa o hyfforddiant o'r radd flaenaf i arweinyddion, a'i amser rhydd rhag ei ddyletswyddau mor eithriadol o brin? I bob pwrpas, roedd colegau cerdd blaenllaw Llundain yn cau o ran eu dosbarthiadau ffurfiol dros wyliau'r haf, ond yn yr Academi Gerdd Frenhinol byddai ambell athro yn y coleg yn defnyddio'r sefydliad fel lleoliad i ddosbarthiadau meistri anffurfiol, a fyddai'n cynnwys sesiynau i arweinyddion, a hynny yn ystod y gwyliau. Dyna oedd yr ateb, ac eto, heb yn wybod i lawer, ymaelododd Noel â'r dosbarthiadau hynny a'u mynychu fwy nag unwaith. Roedd yn gwbl argyhoeddedig y byddai yntau a'i gôr yn elwa o'r hyfforddiant hwn.

Ym 1963, Llandudno oedd cartref yr Eisteddfod Genedlaethol a dadleuol a dweud y lleiaf oedd y brif gystadleuaeth i gorau meibion. Mawr oedd y darogan yn y wasg o flaen llaw am y 'frwydr' oedd i ddod rhwng Dafydd a Goliath, gan mai dau gôr yn unig oedd yn cystadlu – Pontarddulais a Phendyrus. Ni fyddai'n gywilydd o gwbl i gôr ifanc Pontarddulais golli'r dydd i'w gwrthwynebwyr profiadol, ond nid felly y bu. Y Bont ddaeth i'r brig, a hynny'n gyffyrddus ddigon o safbwynt marciau'r beirniaid – dau ddarn prawf, ac un ohonynt i'w ganu yn Lladin gyda llaw, a thri ar ddeg o wahaniaeth ym marciau'r ddau gôr. Arwydd o'r diddordeb mawr oedd yn bodoli yn y cyfnod hwnnw mewn canu corawl a chystadlaethau'r Brifwyl oedd yr ohebiaeth estynedig yn y *Western Mail* yn yr wythnosau'n dilyn y dyfarniad. Daeth beirniaid y gystadleuaeth, sef W. Matthews Williams, John Hughes a Graham Thomas, dan y lach o fwy nag un cyfeiriad, gyda sawl gohebydd yn cwestiynu'r dyfarniad. Fodd bynnag, ni phallodd y dathlu yn y Bont!

There was no doubting the fact that Pontarddulais Male Choir had 'arrived', and the choir was now considered to have joined the ranks of the 'elite' mentioned earlier. The result of the success were the kind of invitations enjoyed by the male choir giants along the years, but these were new experiences for Noel and his choir, now numbering over 120 choristers, but still with an average age of only 30. With the choir approaching its third birthday, a programme of regular concerts across Wales and England was drawn up, together with several recordings and broadcasts.

Over the years to come, despite increasing demands on his time and that of the choir, Noel was totally unshaken in his conviction that supporting the National Eisteddfod was a priority. In addition to acknowledging that the National, on taking an historical perspective, was the nursery for male choirs and the foundation for their fame, he also realised that the process of rehearsing and preparing for a competition put an extra gloss on performances, and was also a means of maintaining and improving standards. The National Eisteddfod returned to the locality in 1964, at Swansea, and the six acknowledged giants of male choirs were to compete in the 'chief competition'. It was to be the last battle of its kind, certainly in terms of the number of leading choirs participating, with Rhosllannerchrugog, Manselton, Pendyrus, Morriston Orpheus, Treorchy and the Bont involved in a marathon contest lasting over two hours. All of these choirs had been victorious at the National in the past. It was estimated that the old pavilion seated about eight thousand people, and it was full to capacity, with another thirty thousand outside, listening attentively to the climax of the musical competitions. In an essay, 'The Choir – Côr Meibion Treorci' by Professor Gareth Williams, in the volume entitled *Hymns and Arias*, a vivid description is given of that afternoon's proceedings. Of the Bont choir, he writes:

> . . . resplendent in green blazers and with a bright, incisive top tenor sound they might have learned from Treorchy. They had; Bont's Noel Davies had always unstintingly acknowledged the

Doedd dim dwywaith amdani, roedd Côr Mcibion Pontarddulais wedi 'cyrraedd', ac fe ystyriwyd y côr bellach yn un o blith yr *elite* y cyfeiriwyd atynt eisoes. Canlyniad y llwyddiant oedd derbyn y math o wahoddiadau a fu'n cymaint rhan o fywyd cewri'r corau meibion ers tro byd, ond profiadau newydd oedd y rhain i Noel a'i gôr, a oedd erbyn hyn dros 120 mewn nifer, ond oedd yn dal â chyfartaledd oedran o 30 yn unig. Gyda'r côr yn agosáu at ei ben-blwydd yn dair blwydd oed, sefydlwyd patrwm o gynnal cyngherddau rheolaidd ar draws Cymru a Lloegr, gyda darllediadau a recordio yn ychwanegol at y rhain.

Dros y blynyddoedd i ddod, er gwaethaf y gofynion cynyddol ar ei amser ef ac amser y côr, roedd Noel yn gwbl argyhoeddedig fod cefnogi'r Eisteddfod Gcncdlaethol yn flaenoriaeth. Yn ogystal â chydnabod mai'r Genedlaethol, o gymryd y persbectif hanesyddol, oedd magwrfa'r corau meibion a'r sail i'w henwogrwydd, sylweddolodd hefyd fod y broses o baratoi ac ymarfer ar gyfer cystadlu yn rhoi min arbennig ar y perfformio, a'i fod yn fodd i gynnal a chodi safonau. Roedd y Brifwyl yn ôl ar drothwy'r drws ym 1964 yn Abertawe, a'r chwe chawr yn cystadlu yn y brif gystadleuaeth i gorau meibion. Hwyrach, o ran niferoedd, mai honno oedd y frwydr olaf o'i bath, gyda Rhosllannerchrugog, Trefansel, Pendyrus, Orpheus Treforys, Treorci a'r Bont yn brwydro mewn marathon o ornest a barhaodd am ddwy awr a mwy. Cofier bod pob un o'r corau yma wedi dod i'r brig yn y Genedlaethol yn y gorffennol.

Amcangyfrifir bod yr hen bafiliwn yn dal tuag wyth mil o bobl, ac yr oedd dan ei sang, gyda deg ar hugain o filoedd ychwanegol ar y maes yn gwrando ar uchafbwynt cerddorol y cystadlu. Mewn ysgrif o'r enw 'The Choir – Côr Meibion Treorci' gan yr Athro Gareth Williams, yn y gyfrol *Hymns and Arias*, ceir disgrifiad byw o ddigwyddiadau'r prynhawn hwnnw. Am Gôr y Bont, meddai:

> ... resplendent in green blazers and with a bright, incisive top tenor sound they might have learned from Treorchy. They had; Bont's Noel Davies had always unstintingly acknowledged the

personal and musical influence of Treorchy's John Haydn Davies on his own and his choir's development.

But in Swansea, Treorchy took the spoils, with John Haydn having to leave his sickbed at the last moment in order to lead the choir to victory. The programme of set pieces was a very challenging one: 'Y Pren ar y Bryn' by William Mathias; a motet from the Renaissance period by the Italian Vittoria, and a powerful unaccompanied setting by the English composer Granville Bantock of a poem by Browning, 'Paracelsus'. At that time, William Mathias was a young lecturer in the university at Bangor, and his remarkable arrangement of the folk song was still comparatively new, dating from 1959. The irony in terms of the competition in Swansea was that the very first performance of the piece had been given by Glynne Jones, but on that occasion with his Silurian Singers. This time, however, Glynne Jones's choir was not successful. Treorchy won by a margin of three marks only and, though disappointed, the Bont heartily celebrated their second place, a result that was, considering the famous and experienced opponents, another boost to their self-confidence, confirming their place amongst the very best.

Noel Davies had no interest whatsoever in resting on his laurels, and once again, even though he was a busy schoolteacher, and still worked at the youth centre, the timetable he planned for 1965 was a truly demanding one. A dozen concerts, six radio broadcasts and the recording of an EP disk (the old 'extended play') had all been confirmed. Many choirs would have argued that such a schedule was ample reason to forgo any appearances in the competitive arena, at least for that year – but not Noel. He decided that his choir would compete in four of the nation's principal eisteddfodau, at Cardigan, Pontrhydfendigaid, the Miners' Eisteddfod at Porth-cawl, and the National itself at Newtown. Here was a clear indication that Noel Davies by this time feared no one in competitions. Indeed, he anticipated that Treorchy would surely appear in at least one of the four festivals. But this was not to be, and he had to wait another two years before having one more opportunity of defeating them.

personal and musical influence of Treorchy's John Haydn Davies on his own and his choir's development.

Ond yn Abertawe, Treorci a orfu, a hynny wedi i John Haydn Davies orfod codi o'i wely claf i arwain ei gôr i fuddugoliaeth. Heriol tu hwnt oedd y rhaglen o ddarnau gosod: 'Y Pren ar y Bryn' gan William Mathias; motét o gyfnod y Dadeni, 'Arglwydd Da, Nid Wyf Deilwng', gan yr Eidalwr Vittoria; a gosodiad grymus digyfeiliant y cyfansoddwr Seisnig Granville Bantock o gerdd Browning, 'Paracelsus'. Darlithydd ifanc yn y brifysgol ym Mangor oedd William Mathias bryd hynny, ac roedd ei drefniant anhygoel o'r gân werin yn dal yn gymharol newydd, yn dyddio o 1959. Yr eironi o ran y gystadleuaeth yn Abertawe oedd mai Glynne Jones a roddodd y perfformiad cyntaf o'r darn, ond hynny gyda Chantorion Silurian ond y tro hwn nid oedd llwyddiant i gôr Glynne Jones. Daeth Treorci i'r brig o dri marc yn unig, ac er bod Côr y Bont yn siomedig, roeddent yn dal i ddathlu eu bod wedi dod yn ail, canlyniad a oedd, o ystyried y gwrthwynebwyr enwog a phrofiadol, yn hwb arall i'w hunanhyder, ac yn cadarnhau eu lle ymhlith y goreuon.

Nid oedd yr idiom 'llaesu dwylo' yng ngeirfa Noel Davies, ac eto, o gofio ei fod yn athro ysgol prysur a'i fod yn dal i weithio yn y ganolfan ieuenctid, roedd yr amserlen a gynlluniodd ar gyfer 1965 yn un ryfeddol. Cytunwyd i ddwsin o gyngherddau, chwech o ddarllediadau radio ynghyd â recordio disg EP (yr hen *extended play*). Byddai ambell gôr yn gweld y fath brysurdeb yn rheswm mwy na digonol dros hepgor y llwyfan cystadleuol o leiaf am flwyddyn – ond nid Noel. Penderfynodd y byddai ci gôr yn cystadlu mewn pedair o brif eisteddfodau'r genedl, sef Gŵyl Fawr Aberteifi, Pontrhydfendigaid, Eisteddfod y Glowyr ym Mhorth-cawl, ynghyd â'r Genedlaethol ei hun yn y Drenewydd. Dyma arwydd clir nad oedd Noel Davies yn ofni unrhyw gôr meibion yn y byd cystadleuol erbyn hyn, ac yn wir tybiodd y byddai Treorci yn siŵr o ymddangos yn un o'r pedair cystadleuaeth o leiaf. Ond nid felly y bu, a bu'n rhaid iddo aros dwy flynedd eto cyn cael un ymdrech arall i'w trechu. Ond ym 1965, trechwyd pawb arall, gyda buddugoliaethau

87

However, in 1965, every other choir was defeated, with stunning victories for the Bont choir in all four eisteddfodau, a very special achievement that they repeated in 1968.

With this spectacular success, invitations flooded in from across Wales and beyond Offa's Dyke. In 1966, in addition to some eighteen concerts and various broadcasts, Noel was ready to take the next step in the development of his choir: a foreign tour. And there were to be no competitions that year for the first time since the choir was formed. The invitation came from an unexpected quarter, from Sweden, and specifically from the male choirs from the towns of Tranas, Vaxjo and Gislaved. This would be a lengthy journey by bus, train and ferry, and one that had to be reorganised at very short notice because of a strike by seamen – it was no mean feat to cater for 130 travelling choristers. The series of concerts given in each of the three towns were resounding successes, and a bond of friendship was forged between the individual members of the Bont choir and the families who housed them during their visit. Two years later, the Tranas, Vaxjo and Gislaved male choirs were welcomed to Pontarddulais for a reciprocal visit, and forty years later again, with many other foreign tours having taken place during that time, some of the choirs' members still keep in touch and occasionally visit each other. A lasting friendship developed between Noel and the conductor of the Tranas Male Choir, Ole Lindgren, who was also a well-known composer in Sweden. Noel and Joan visited Ole Lindgren's family many times, and the conductor from Sweden attended some of the important celebratory milestones of the Bont choir as a special guest. The year 1966 was also noteworthy for another clear indication of the status of Noel Davies's choir. The BBC recorded a series entitled *Great Choirs of the World*, one programme of which included performances by the Russian State Academy Choir, the Netherlands Chamber Choir, the Montreal Choral Society and the Pontarddulais Male Choir.

Noel Davies was itching to return to the competitive arena, and once again in 1967 there was a victory at the Cardigan eisteddfod and another opportunity at the Bala National Eisteddfod to come up against the Treorchy Male Choir. The test pieces were from different

syfrdanol yn y pedair eisteddfod. Rocdd hon yn gamp unigryw, ond yn un a ailadroddwyd gan Gôr y Bont ym 1968.

Gyda'r llwyddiant aruthrol yma, fe ddaeth gwahoddiadau di-ri oddi mewn i Gymru a thu hwnt i Glawdd Offa. Ym 1966, yn ogystal â chynnal rhyw ddeunaw o gyngherddau, a darllediadau amrywiol, roedd Noel bellach yn barod i gymryd y cam nesaf yn natblygiad ei gôr, sef taith dramor, ac fe roddwyd y llwyfan cystadlu o'r neilltu am y tro – y flwyddyn gyntaf i hynny ddigwydd ers ffurfio'r côr. Fe ddaeth y gwahoddiad o gyfeiriad annisgwyl braidd, sef Sweden, ac yn benodol gan gorau meibion trefi Tranas, Vaxjo a Gislaved. Taith hir ar fws, trên ac ar long oedd hon, ac un y bu'n rhaid ei haildrefnu ar y funud olaf oherwydd streic y morwyr – tipyn o gamp o ystyried bod 130 o aelodau'r côr ar y daith. Roedd y gyfres o gyngherddau a roddwyd ym mhob un o'r trefi yn llwyddiant mawr, ac felly hefyd y cyfeillgarwch a ffurfiwyd rhwng aelodau unigol o Gôr y Bont a'r teuluoedd a fu'n eu lletya. Ddwy flynedd yn ddiweddarach croesawyd corau meibion Tranas, Vaxjo a Gislaved i Bontarddulais, a deugain mlynedd yn ddiweddarach eto, a theithiau tramor di-rif wedi'u trefnu yn y cyfamser, mae rhai o aelodau'r corau yn dal mewn cysylltiad, a hyd yn oed yn ymweld â'i gilydd o dro i dro. Nid oedd yn syndod fod cyfeillgarwch wedi datblygu bryd hynny rhwng Noel ac arweinydd Côr Tranas, Ole Lindgren, a oedd hefyd yn gyfansoddwr adnabyddus yn Sweden. Cyfeillgarwch a oedd i barhau oedd hwn hefyd, gyda Noel a Joan yn ymweld â theulu Ole Lindgren yn aml, a'r arweinydd o Sweden yn mynychu ambell ddathliad pwysig yn hanes Côr y Bont fel gwestai arbennig. Roedd 1966 yn nodedig hefyd gan y cydnabuwyd statws Côr y Bont pan y'i gwahoddwyd i recordio ar gyfer rhaglen yn y gyfres *Corau Mawr y Byd* gan y BBC. Yn y rhaglen honno fe ymddangosodd Côr Academi Gwladwriaeth Rwsia, Côr Siambr yr Iseldiroedd, Cymdeithas Gorawl Montreal a Chôr Meibion Pontarddulais.

Roedd Noel Davies yn ysu i ddychwelyd at y byd cystadleuol, ac unwaith eto ym 1967 daeth buddugoliaeth yng Ngŵyl Fawr Aberteifi, a chyfle arall yn Eisteddfod Genedlaethol y Bala i gwrdd â Chôr Meibion Treorci. Deuai'r darnau prawf o amrywiol gyfnodau

89

historical periods of music, ranging from the Renaissance to the twentieth century, and the three adjudicators were Mansel Thomas, Kenneth Bowen and Meirion Williams. Treorchy won yet again by a whisker, and the disappointment of the Bont intensified on learning that this would be the last competitive appearance of the famous choir from the Rhondda Valley. There would be no further opportunity of defeating them on an eisteddfod stage. This was the period when several of the nation's great male choirs disappeared from the National Eisteddfod, and from competitions in general, in order to concentrate on recording work, broadcasting and overseas travel. Noel Davies and his choir continued to compete, also finding the time to record, broadcast and travel the world! Throughout these early successful years, Noel had been fortunate in being able to work with the same accompanist since 1962. However, by 1968, with the demands for the services of the choir ever increasing, Elwyn Sweeting decided to leave the post. Gowerton School was still producing talented musicians, and into the breach stepped a young man of considerable promise, who was still a pupil at the school. It was a considerable challenge for a youngster in the sixth form to step into such a crucial position with a busy choir who craved the highest standards. As expected, however, Wyn Davies proved himself to be an outstandingly talented acquisition during his two years with the choir. Wyn went on to study music at Oxford University before embarking on a glowing career as a professional conductor.

The decision of so many of the large male choirs to withdraw from competitions resulted in Pontarddulais being the only 'Chief Male Choir' entrant in the Ammanford National Eisteddfod of 1970. Another choir had intended competing, and naturally the gossip in the Bont was that they had been too frightened to turn up! Once again there was a requirement to learn challenging music, including on this occasion a new setting of Psalm 148 by Arwel Hughes, and 'Prospice' by D. Vaughan Thomas – the composer mentioned in the opening chapter who had close links with the village of Pontarddulais. Despite the victory and the glowing praise of the adjudicators, the absence of any opposing choirs after such hard work and dedicated preparation

90

hanesyddol cerddoriaeth, yn ymestyn o'r Dadeni i'r ugeinfed ganrif, a'r tri beirniad oedd Mansel Thomas, Kenneth Bowen a Meirion Williams. Treorci aeth â hi eto o drwch blewyn, a'r siom i'r Bont yn dyblu o glywed mai honno fyddai cystadleuaeth olaf y côr enwog o'r Rhondda. Ni ddeuai cyfle arall i'w trechu ar lwyfan eisteddfodol. Hwn oedd y cyfnod pan ddiflannodd sawl un o gorau meibion mawr y genedl o'r Eisteddfod Genedlaethol, ac o gystadlu'n gyffredinol, a hynny er mwyn canolbwyntio ar waith recordio, darlledu a theithio'r byd. Parhau i gystadlu a wnaeth Noel Davies a'i gôr, gan ddod o hyd i'r amser hefyd i recordio, darlledu a theithio'r byd! Trwy gydol y blynyddoedd cynnar llwyddiannus yma, bu Noel yn ffodus o gael gweithio gyda'r un cyfeilydd er 1962. Ond erbyn 1968, gyda'r galwadau am wasanaeth y côr ar gynnydd, penderfynodd Elwyn Sweeting roi'r gorau i'r swydd. Roedd Ysgol Ramadeg Tre-gŵyr yn dal i gynhyrchu cerddorion talentog, ac i'r adwy fe ddaeth bachgen ifanc, addawol, a oedd yn dal yn ddisgybl yno. Tipyn o gamp i grwt yn y Chweched Dosbarth oedd camu i swydd mor allweddol gyda chôr prysur a oedd yn arddel y safonau uchaf. Ond, yn ôl y disgwyl, profodd Wyn Davies yn gaffaeliad rhyfeddol o ddawnus yn ystod ei ddwy flynedd gyda'r côr. Aeth Wyn ymlaen i astudio Cerdd ym Mhrifysgol Rhydychen cyn symud yn ei flaen i yrfa ddisglair fel arweinydd proffesiynol.

Canlyniad penderfyniad y corau mawr i gefnu ar y Brifwyl oedd mai Pontarddulais oedd yr unig gôr yn y brif gystadleuaeth yn Eisteddfod Rhydaman ym 1970. Roedd côr arall wedi bwriadu cystadlu yn ôl y sôn, a'r sibrwd naturiol yn y Bont oedd bod arnynt ormod o ofn ar ddiwedd y dydd! Unwaith eto roedd gofyn am ddysgu gweithiau heriol, y tro hwn yn cynnwys gosodiad newydd o Salm 148 gan Arwel Hughes a 'Prospice' gan D. Vaughan Thomas – y cyfansoddwr oedd â chysylltiad â'r Bont y cyfeiriwyd ato yn y bennod agoriadol. Er y fuddugoliaeth a chanmoliaeth hael y beirniaid, siomedig oedd y diffyg cystadlu ar ôl yr holl waith dysgu a pharatoi. Ond roedd dathliad pwysig ar y gorwel i Noel a Chôr Meibion Pontarddulais.

Erbyn degfed pen-blwydd y côr, roedd y cyngerdd blynyddol

1960au. Côr Meibion Pontarddulais
1960's. Pontarddulais Male Voice Choir

1963. Y fuddugoliaeth gyntaf, Eisteddfod Genedlaethol Llandudno
The first victory, Llandudno National Eisteddfod

Ole Lindgren o Sweden a'i deulu
Ole Lindgren from Sweden and his family

1968. Llwyddiannau
yn Eisteddfod
Genedlaethol y Barri

Noel, Dennis
O'Neill, Jennifer
Clarke (Evans)

1968. Successes at
the National
Eisteddfod, Barry

was a disappointment. However, there was an important celebration on the horizon for Noel and the Pontarddulais Male Choir.

By the choir's tenth birthday, the annual concert, because of a lack of a suitable venue in the Bont, had moved to Swansea's splendid Brangwyn Hall. The choir was now used to performing in prestigious concert halls, including the Town Hall in Birmingham and the Albert Hall in London. Reference will be made later to Noel's rationale in formulating concert programmes for his choir and to his choice of guest artistes, but this celebratory concert was to be a special festival for several reasons. Four leading artistes were invited to contribute to the musical fare – Rae Woodland, Jean Allister, Stuart Burrows and Delme Bryn Jones. In addition, bearing in mind the many contemporary pieces of music mastered by the choir, particularly for competitions, Noel Davies felt adventurous enough to commission a new work for the occasion. He turned to one of the nation's most important composers, whose work was already familiar to Côr y Bont – William Mathias. As one who was well aware of the choir's high standards, he agreed with enthusiasm. He decided on a setting of the Gloria for male choir and organ, to be performed for the first time at the celebratory concert.

Wyn Davies had returned from Oxford to join the choir once more, this time as a guest accompanist. He was the organist for that first historical performance of the Gloria in the presence of the composer himself. Mathias was not one to compromise in terms of the technical challenge that he presented to the performers, and the new piece was demanding for both choir and accompanist, as it was for the interpretive skills of the conductor. The composer was aware of an unusual trumpet stop on the Brangwyn Hall organ, and much of the accompaniment features fanfare-like passages, not at all easy to play. In quieter sections of the piece, the choir is asked to hold chords for unusually long periods of time, and on other occasions the texture divides into eight vocal parts. The performance was a triumph, the composer was delighted, and a bond of friendship was formed between Noel Davies and William Mathias which lasted until the composer's death in 1992.

wedi symud i neuadd fawreddog y Brangwyn yn Abertawe, a hynny oherwydd prinder lle addas yn y Bont. Roedd y côr bellach yn gyfarwydd â chanu mewn neuaddau o fri, gan gynnwys Neuadd y Dref, Birmingham, a Neuadd Albert Llundain. Cyfeirir eto maes o law at y modd y byddai Noel yn cynllunio rhaglenni cyngerdd ei gôr, ac fe sonnir am ei ddewis o artistiaid gwadd, ond roedd y cyngerdd dathlu hwn i fod yn ŵyl arbennig am sawl rheswm. Gwahoddwyd pedwar artist o'r radd flaenaf, sef Rae Woodland, Jean Allister, Stuart Burrows a Delme Bryn Jones, i gyfrannu at yr arlwy gerddorol. Yn ogystal â hyn, o gofio'r holl weithiau cerddorol cyfoes a feistrolwyd gan y côr yn arbennig ar gyfer cystadlu, teimlodd Noel Davies yn ddigon mentrus a hyderus i gomisiynu darn newydd ar gyfer yr achlysur. Aeth at un o gyfansoddwyr pwysica'r gencdl ac un yr oedd Côr y Bont yn gyfarwydd â'i waith eisoes, sef William Mathias. Cytunodd yntau'n frwdfrydig i'r cais, fel un oedd yn llwyr ymwybodol o safonau uchel y côr. Penderfynodd ar osodiad o'r Gloria ar gyfer côr meibion ac organ, i'w berfformio am y tro cyntaf yn y cyngerdd dathlu.

Roedd Wyn Davies wedi dychwelyd o Rydychen i ymuno â'r côr unwaith yn rhagor, fel cyfeilydd gwadd y tro hwn, ac ef oedd wrth yr organ am y perfformiad hanesyddol cyntaf hwnnw o'r Gloria, gyda'r cyfansoddwr yn bresennol. Nid oedd Mathias yn un i gyfaddawdu o ran yr her dechnegol a roddai i'r perfformwyr, ac yr oedd y darn newydd yn herio gallu'r cantorion a'r cyfeilydd fel ei gilydd, heb sôn wrth gwrs am ddawn dehongli'r arweinydd. Roedd y cyfansoddwr yn ymwybodol fod yna stop trwmped anarferol yn perthyn i organ y Brangwyn, ac mae llawer o'r cyfeiliant wedi ei ysgrifennu mewn dull ffanffer ac yn bur anodd ei chwarae. Mewn mannau tawel yn y darn roedd gofyn i'r côr ddal cordiau am amser rhyfeddol o hir, ac ar adegau eraill byddai'r gwead lleisiol yn rhannu yn wyth. Roedd y perfformiad yn orchest, a'r cyfansoddwr wrth ei fodd, a ffurfiwyd cyfeillgarwch rhwng Noel Davies a William Mathias a oedd i barhau tan farwolaeth y cyfansoddwr ym 1992.

Daeth dwy anrhydedd arwyddocaol arall i gyfeiriad Noel Davies ym 1970, un oddi wrth y côr a'r llall o'r gymuned. Fe'i

Two other significant honours came Noel Davies's way in 1970, one from the choir and the other from the community. The choir bestowed Life Membership on their conductor, and he was elected a Justice of the Peace, to sit on the Gowerton Bench initially, and after its closure, in Swansea. He was particularly conscientious as a magistrate over a period of decades, with a genuine interest in the work and a concern for young people and families affected by crime. He became one of the founding members of the Family Bench Panel, and after his retirement as conductor of the choir many years later, he attended courses with a view to becoming a Childline counsellor. He found it particularly difficult to deal with the accounts of children and young people who had suffered abuse, and he had to give up that work.

But back to 1970 and life was particularly fulfilling for Noel, both as a nationally acknowledged musician and as the conductor of the male choir considered by many to be the best in Wales. One sadness, however, was the realisation that he and Joan would have no children, and that the choir would be his 'family' over the years to come.

We have a written record of Noel's view at the end of that first remarkable decade, in one of a series of newsletters published at that time by the choir as bulletins for members, under the Welsh title *Arolwg* (Review). In an article entitled 'Conductor's Notes' he writes:

> It is said that when one begins to look back it is a sign of old age, be that as it may, but there must be some time for reflection, there must be occasions for taking stock and it doesn't do a great deal of harm to look back occasionally on past achievements with a little pride, provided we don't spend all our time reflecting on past glories. There is so much more to do – so much new music to learn – so much more to be achieved. The foundation has been well and truly laid – let's look forward with eagerness to an even greater future – BROTHERS IN SONG, SING ON!

Yes, pride in what had been achieved, but much more yet to do, and even a brighter future ahead!

hanrhydeddwyd yn Aelod am Oes gan y côr, ac fe'i hetholwyd yn Ynad Heddwch, i eistedd yn y llys yn Nhre-gŵyr ar y cychwyn, ac wedi cau'r llys hwnnw, yn Abertawe. Bu'n arbennig o gydwybodol fel ynad dros gyfnod o ddegawdau, ac amlygai gwir ddiddordeb yn y gwaith, a chonsýrn dros bobl ifanc a theuluoedd a effeithiwyd gan drosedd a thorcyfraith. Daeth yn un o sylfaenwyr Panel y Fainc Deuluol, ac ar ôl ei ymddeoliad fel arweinydd y côr, flynyddoedd yn ddiweddarach, mynychodd gyrsiau ar gyfer mynd yn gynghorydd Childline. Ni chafodd hi'n hawdd ymdrin â storïau plant a phobl ifanc a ddioddefodd gamdriniaeth o bob math, ac ymhen amser bu'n rhaid iddo roi'r gorau i'r gwaith hwnnw.

Ond yn ôl i 1970, ac roedd bywyd yn fêl i Noel, fel cerddor a gydnabuwyd ar raddfa genedlaethol, ac fel arweinydd y côr meibion gorau, yn nhyb llawer, yng Nghymru. Yr unig elfen o dristwch oedd cydnabod na fyddai plant i Joan ac yntau, ac mai'r côr fyddai ei 'deulu' ef yn y blynyddoedd i ddod.

Mae gennym gofnod uniongyrchol o farn Noel Davies ar ddiwedd y degawd cyntaf rhyfeddol hwnnw yn hanes bodolaeth y côr. Saesneg oedd cyfrwng y cylchlythyrau a gyhoeddwyd yr adeg honno fel math o fwletin newyddion i'r aelodau, dan y teitl *Arolwg*. Dyma a ddywed o dan y teitl 'Nodiadau'r Arweinydd':

> It is said that when one begins to look back it is a sign of old age, be that as it may, but there must be some time for reflection, there must be occasions for taking stock and it doesn't do a great deal of harm to look back occasionally on past achievements with a little pride, provided we don't spend all our time reflecting on past glories. There is so much more to do – so much new music to learn – so much more to be achieved. The foundation has been well and truly laid – let's look forward with eagerness to an even greater future – BROTHERS IN SONG, SING ON!

Ie, balchder am yr hyn a gyflawnwyd, ond llawer mwy i'w wneud, a dyfodol disgleiriach eto!

From Strength to Strength

It comes as no surprise at all that the name of Gowerton Boys' Grammar School appears frequently in this book, and after Wyn Davies's departure as the choir's accompanist, the Head of the school's Music Department stepped into the breach: D. Hugh Jones was successor to C. K. Watkins, to whom reference has been made earlier. As with his predecessor in the school, Hugh Jones was music teacher to generations of young boys, many of whom went on to distinguished professional careers in music. Here, then, was the teacher following in the footsteps of his former pupil as the accompanist of Noel Davies's choir.

After a decade of sweeping success, how was the choir to move forward and develop further? At the beginning of the 1970s, Noel was only a quarter of the way through his remarkable reign as the conductor of the choir. He had already led his choir to eisteddfod victories, undertaken a host of radio and television broadcasts, given countless concerts the length and breadth of Wales and England as well as abroad, and recorded a wide range of music, in addition to giving first performances of works by contemporary composers. If his story had ended there, his achievements would merit considerable praise, but he continued his work for another thirty years. Only an unusually talented musician and unique personality could have inspired his choristers, year after year, to continue working with enthusiasm, and to rehearse in order to reach the very highest standards.

And that is indeed what happened. In one way, the many years that were to follow were a mirror of that first remarkable decade, as so many of the highlights were a repeat of previous achievements.

O NERTH I NERTH

Nid yw'n syndod o gwbl fod enw Ysgol Ramadeg y Bechgyn, Tregŵyr, yn ymddangos yn rheolaidd yn y gyfrol hon, ac ar ôl i Wyn Davies roi'r gorau i'w gyfrifoldebau cyfeilio i'r côr, daeth Pennaeth Adran Gerdd yr ysgol i'r adwy: D. Hugh Jones oedd olynydd C. K. Watkins y cyfeiriwyd ato eisoes. Fel ei ragflaenydd yn yr ysgol, bu Hugh Jones yn athro Cerdd ar genedlaethau o fechgyn ifainc, gyda nifer sylweddol ohonynt yn symud ymlaen i yrfaoedd proffesiynol disglair ym myd cerdd. Dyma'r athro felly yn dilyn ôl-traed ei gynddisgybl fel cyfeilydd i gôr Noel Davies.

Ond, ar ôl degawd o lwyddiant ysgubol, sut oedd y côr yn mynd i allu symud ymlaen eto a datblygu ymhellach? Ar ddechrau'r 70au, dim ond chwarter ffordd trwy ei deyrnasiad rhyfeddol fel arweinydd y côr oedd Noel. Ac eto, roedd eisoes wedi arwain ei gôr i fuddugoliaethau eisteddfodol, wedi cyfrannu at lu o ddarllediadau radio a theledu, cyngherddau di-rif yng Nghymru, Lloegr a thramor ac wedi recordio gweithiau amrywiol a heriol, yn ogystal â rhoi perfformiadau cyntaf gweithiau gan gyfansoddwyr cyfoes. Petai ei stori yn gorffen yn y fan hon, byddai ei gamp yn destun canmoliaeth arbennig, ond aeth ymlaen â'i waith am ddeng mlynedd ar hugain arall. Dim ond cerddor anarferol o ddawnus ac un a feddai ar bersonoliaeth unigryw fyddai'n gallu ysbrydoli ei gantorion, flwyddyn ar ôl blwyddyn, i barhau gyda brwdfrydedd i weithio ac ymarfer er mwyn cyrraedd y safonau uchaf.

A dyna ddigwyddodd. Mewn un ffordd, roedd y blynyddoedd niferus oedd i ddilyn yn ddrych o'r degawd rhyfeddol cyntaf, oherwydd i gynifer o'r uchafbwyntiau ailadrodd yr hyn a gyflawnwyd eisoes. Dyna oedd cryfder Noel Davies – ei allu i

This was Noel Davies's strength – his ability to spur on his choristers, to persevere, to fire their enthusiasm and to sustain high standards over such a strikingly long period of time. And yet, in the years of enhancement and development, Noel succeeded in finding new and different experiences for his choir, and it is on those that this chapter will mainly concentrate. What, then, sustained the interest of his choir, and what stirred him to carry on for so many years? New and exciting ideas would need careful thought and planning.

Noel's ingenuity was immediately apparent in his planning for the 1971 annual concert. After all, it would be a considerable challenge to surpass the success of the celebratory concert held in the preceding year. Extended musical works for male choirs are very rare in the classical repertoire, but Noel was tempted by a splendid setting of the mass for male choir and orchestra by Cherubini. Italian by birth, Cherubini spent most of his professional life in Paris where he was the Director of the *Conservatoire*. His contemporaries, including Beethoven and Mendelssohn, greatly admired his works for the stage and the church. Noel and the choir were already familiar with some of the seven choruses that constitute the complete work, and so it was decided to perform the Requiem in D minor in the annual concert, with the accompaniment of a local orchestra. The choristers committed the whole work to memory and, as there are no solos in this particular setting, the performance was a test of stamina for both choir and conductor. Here is another example of Noel seeking new experiences for his choristers, and of them responding with their usual enthusiasm. Over the coming decades, the choir performed the Requiem on several other occasions, including in the Cardiff Choral Festival in 1978 with the Philharmonia Orchestra under the direction of George Guest (a performance broadcast by HTV) and in the annual concert celebrating the choir's twenty-fifth anniversary in 1985, with the Welsh Sinfonia Orchestra.

Another victory was recorded in the National of 1972, a year that saw some young musicians from Lachine School, Montreal, welcomed to the Pontarddulais area. Their conductor and

100

sbarduno ei gantorion, i danio eu brwdfrydedd, i ddyfalbarhau, ac i gynnal safonau uchel dros gyfnod anhygoel o amser. Ond eto, yn y blynyddoedd o gyfnerthu a datblygu, fe lwyddodd Noel i ddarganfod a chynnig profiadau gwahanol a newydd i'w gantorion, ac fe ganolbwyntir ar y rheiny i raddau helaeth yn y bennod hon. Beth, felly, a gadwodd ddiddordeb aelodau ei gôr, a beth a'i hysgogodd yntau i ddal ati am gynifer o flynyddoedd? Roedd angen uchafbwyntiau gwefreiddiol cyson, ac roedd sicrhau hynny yn golygu cynllunio a meddwl gofalus.

Gwelwyd dyfeisgarwch Noel yn syth wrth iddo gynllunio cyngerdd blynyddol 1971. Wedi'r cyfan, byddai'n her sylweddol i ddilyn llwyddiant cyngerdd y dathlu flwyddyn ynghynt. Prin iawn yw'r gweithiau estynedig i gorau meibion yn y *repertoire* clasurol, ond temtiwyd Noel gan un gosodiad rhagorol o'r offeren i gôr meibion a cherddorfa gan Cherubini. Eidalwr oedd Cherubini, er iddo dreulio'r rhan fwyaf o'i fywyd proffesiynol ym Mharis lle'r oedd yn gyfarwyddwr ar y *Conservatoire* yno. Roedd Beethoven a Mendelssohn ill dau yn edmygwyr mawr o'i weithiau ar gyfer y llwyfan a'r eglwys. Roedd Noel a'r côr eisoes yn gyfarwydd ag ambell un o'r saith cytgan sy'n perthyn i'r gwaith cyflawn, ac felly dyma benderfynu perfformio'r Requiem yn D leiaf yn y cyngerdd blynyddol gyda chyfeiliant cerddorfa leol. Dysgwyd y gwaith cyfan ar y cof, a chan nad oes unrhyw unawdau yn perthyn i'r gosodiad, roedd y perfformiad yn brawf ar stamina'r côr a'r arweinydd fel ei gilydd. Un o nifer o enghreifftiau nodedig o Noel yn chwilio am brofiadau newydd i'w gantorion a hwythau'n ymateb gyda'u brwdfrydedd arferol yw hon. Dros y degawdau i ddod perfformiodd y côr y Requiem sawl gwaith eto, gan gynnwys yng Ngŵyl Gorawl Caerdydd ym 1978 gyda Cherddorfa'r Ffilharmonia dan arweiniad George Guest (perfformiad a ddarlledwyd gan HTV) ac yn y cyngerdd blynyddol ym mlwyddyn dathlu'r chwarter canmlwyddiant ym 1985, gyda Cherddorfa Sinffonia Cymru.

Daeth buddugoliaeth arall eto yn y Genedlaethol ym 1972, blwyddyn pan groesawyd cerddorion ifainc o Ysgol Lachine, Montreal, i ardal Pontarddulais fel gwesteion y côr meibion. Brodor

schoolmaster, Iwan Edwards, was a native of the locality, and had been, many years earlier, a member of Noel Davies's youth choir. A year later, Noel and his choir undertook a reciprocal visit, performing in some of the large cities in eastern Canada. The accompanist was unable to travel, and I was invited to join the tour, as another of Hugh Jones's pupils. I had also worked with Noel in the youth club and had on occasion helped out in an emergency as accompanist of the male choir. This was originally a temporary arrangement, but somehow I remained in the post for the next eighteen years!

Within four years the choir toured eastern Canada once again, and the following year, in 1978, Noel was invited to return to conduct the North American Cymanfa Ganu, held that year in Ottawa. In terms of the competitive arena during the 1970s, no choir came close to defeating the Bont, and there were further victories at the Miners' Eisteddfod in Porth-cawl, Gŵyl Fawr Aberteifi in Cardigan, as well as the National Eisteddfodau at Carmarthen, Cardigan and Cardiff. It is worth noting that Noel's choir was never defeated at the National after that second prize at Bala in 1967. A record of nine victories was established at the Machynlleth National Eisteddfod in 1981, and stretched to ten in Swansea a year later. Looking back on that particular victory, and on the eisteddfod world in general, Noel wrote in the *Radio Times*:

> Welshmen are very competitive, whether it be on the rugby field or in choral competitions. Competing is good for choral discipline – it gives a choir something to aim for. Having to learn a new or unknown work is a challenge both to the choir and to the musical director. Whether you are able to use the work again in concert is not important. You decide whether you compete or not. Winning the chief male choir competition at the National Eisteddfod is a goal for every large choir. It means it has arrived and it is a means of maintaining standards.

Singleton Park was the site for the Swansea National Eisteddfod in 1982. Two years earlier, the Lliw Valley Eisteddfod had been

o'r ardal oedd eu harweinydd a'u hysgolfeistr, sef Iwan Edwards, un a fu flynyddoedd ynghynt yn aelod o gôr ieuenctid Noel Davies. O fewn blwyddyn roedd Noel a'i gôr yn teithio yng Nghanada ac yn cynnal cyfres o gyngherddau yn ninasoedd mawr y dwyrain yno. Nid oedd yn bosib i'r cyfeilydd deithio, ac fe'm gwahoddwyd innau i fynd ar y daith, fel cyn-ddisgybl arall i Hugh Jones, ac fel un oedd wedi gweithio gyda Noel yn y clwb ieuenctid, ac wedi helpu o bryd i'w gilydd mewn argyfwng gyda chyfeilio i'r côr meibion. Trefniant dros dro oedd hwn yn wreiddiol, ond rhywsut arhosais yn y swydd am y deunaw mlynedd nesaf!

O fewn pedair blynedd roedd y côr ar daith unwaith eto yn nwyrain Canada, ac fe wahoddwyd Noel i ddychwelyd i'r wlad ym 1978 i arwain Cymanfa Ganu Gogledd America, a gynhaliwyd yn Ottawa y flwyddyn honno. Yn gystadleuol yn ystod y 1970au, nid oedd côr arall yn dod yn agos at drechu'r Bont, ac fe ddaeth buddugoliaethau pellach yn Eisteddfodau'r Glowyr ym Mhorth-cawl, yng Ngŵyl Fawr Aberteifi, yn ogystal ag Eisteddfodau Cenedlaethol Caerfyrddin, Aberteifi a Chaerdydd. Mae'n werth nodi na threchwyd côr Noel Davies yn y Genedlaethol fyth oddi ar yr ail wobr honno yn y Bala ym 1967. Sefydlwyd record o naw o fuddugoliaethau gan y côr yn Eisteddfod Genedlaethol Machynlleth ym 1981, gan ymestyn hwnnw i ddeg yn Abertawe y flwyddyn ganlynol. Wrth edrych yn ôl ar y fuddugoliaeth honno, ac ar y byd eisteddfodol yn gyffredinol, ysgrifennodd Noel yn y *Radio Times*:

Welshmen are very competitive, whether it be on the rugby field or in choral competitions. Competing is good for choral discipline – it gives a choir something to aim for. Having to learn a new or unknown work is a challenge both to the choir and to the musical director. Whether you are able to use the work again in concert is not important. You decide whether you compete or not. Winning the chief male choir competition at the National Eisteddfod is a goal for every large choir. It means it has arrived and it is a means of maintaining standards.

103

1971. Paratoi ar gyfer y cyngerdd blynyddol

Preparing for the annual concert

1973. Taith i Lachine, Montreal

On tour in Lachine, Montreal

Ymddangos ar y rhaglen deledu *Noson Lawen*
Appearing on the television programme *Noson Lawen*

Rhannu llwyfan â rhai o sêr y byd cerddorol yng Nghymru
Sharing the stage with accomplished musicians

held at the old site of the RTB steelworks in Gowerton. Barely four miles separated the two sites – a unique situation in the history of the National Eisteddfod. Noel worked diligently for the Lliw Valley Eisteddfod, in his local community as a member of the Garden Village Appeal Committee and also as chairman of the Festival's Concerts Committee. Although there would be no competing, the male choir performed twice at the Eisteddfod, once as part of a massed male choir in the opening concert and later in the week combining with the West Glamorgan Youth Choir and the Bristol Sinfonia Orchestra in a stunning performance of Carl Orff's *Carmina Burana*. Noel also had the privilege of conducting the Cymanfa Ganu that traditionally closes the festival, and he was delighted a few days later to receive a letter from his idol, and now firm friend, John Haydn Davies, Emeritus Conductor of Treorchy Male Choir, who wrote (originally in Welsh):

> We received a blessing on listening to the singing last Sunday evening. I have tried contacting you by phone but to no avail. Your remarks on hymn-tunes and hymns were interesting, testifying to thorough preparation. Well done, thou good and faithful servant. You will have valuable and lasting memories . . . Olwen joins me in congratulating you, without forgetting 'the back-room girl', Joan.

There is another interesting story regarding Noel Davies and the Lliw Valley Eisteddfod, and one that testifies to his somewhat determined disposition, which some would have described as stubborn! He was appointed Conductor of the Eisteddfod Choir, and in a thrice Noel had decided upon the extended work to be performed in the festival proclamation, and indeed had commenced rehearsals. Reference has already been made to his musical dictatorship as director of the male choir, but here, in a somewhat different context, he came under fire, and was severely criticised for not having ensured that the appropriate committees had discussed and approved the arrangements. It is fair to say that Noel Davies's

106

Ym Mharc Singleton y lleolwyd yr Eisteddfod Genedlaethol pan ymwelodd ag Abertawe ym 1982. Ddwy flynedd ynghynt, yn Eisteddfod Dyffryn Lliw, y lleoliad oedd hen safle gwaith dur RTB Tre-gŵyr. Prin bedair milltir oedd yn gwahanu'r ddau safle – sefyllfa unigryw yn hanes yr Eisteddfod Genedlaethol. Gweithiodd Noel yn ddyfal ar gyfer Eisteddfod Dyffryn Lliw, yn ei gymdogaeth leol fel aelod o Bwyllgor Apêl Pentre'r Ardd a hefyd fel Cadeirydd Pwyllgor Cyngherddau'r Ŵyl. Nid oedd y côr yn cystadlu felly, ond bu'n perfformio mewn dau o'r cyngherddau. Bu'n rhan o gôr meibion unedig yn y cyngerdd agoriadol, ac yn ddiweddarach yn yr wythnos cyfunodd gyda Chôr Ieuenctid Gorllewin Morgannwg a Cherddorfa Sinffonia Bryste mewn perfformiad gwefreiddiol o *Carmina Burana* gan Carl Orff. Noel gafodd y fraint o arwain y Gymanfa Ganu i gloi'r ŵyl, ac roedd wrth ei fodd pan dderbyniodd lythyr ychydig ddyddiau'n ddiweddarach oddi wrth y gŵr yr oedd yn ei edmygu cymaint, ac a oedd erbyn hyn yn ffrind da iddo, sef John Haydn Davies, Arweinydd Emeritws Côr Meibion Treorci. Ysgrifennodd yntau:

> Cawsom fendith wrth wrando'r canu nos Sul ddiwethaf. Bûm yn ceisio cysylltu â thi ar y ffôn ond yn ofer . . . Diddorol oedd dy sylwadau ar dôn ac emyn, yn tystio i baratoad trylwyr. Da was a ffyddlon. Fe fydd gennyt atgofion gwerthfawr a pharhaol . . . Una Olwen a mi i'th longyfarch, heb anghofio'r 'back room girl' Joan.

Mae yna stori arall ddiddorol ynglŷn â Noel Davies ac Eisteddfod Dyffryn Lliw, a honno'n tystio eto i'w anian a'i natur benderfynol, er byddai rhai yn ei ddisgrifio fel ystyfnig a phenstiff! Fe'i penodwyd yn Arweinydd Côr yr Eisteddfod, a chyn pen chwinciad roedd Noel wedi penderfynu ar waith estynedig i'w berfformio yng ngŵyl y cyhoedd, ac yn wir wedi cychwyn ymarfer. Cyfeiriwyd eisoes at ei unbennaeth gerddorol fel arweinydd ei gôr meibion, ond yma, mewn cyd-destun tipyn gwahanol, daeth dan y lach, ac fe'i beirniadwyd yn hallt am fethu

motives lay in securing the highest standards by getting on with things as soon as possible. In any event, he did not appreciate the interference and, very simply, he resigned!

However, he lost none of his esteem in the eyes of the Eisteddfod authorities, and on Thursday morning, 6 August 1981, he was inaugurated into the Gorsedd of Bards at the Maldwyn and District National Eisteddfod by the Archdruid James Nicolas, as an honorary member of the Ovate Order. He was presented as 'Mr Noel Davies, Pontarddulais, Chairman of the Lliw Valley National Eisteddfod Concerts Committee, and conductor of Pontarddulais Choir'. Amongst others honoured with 'Noel Dyffryn Lliw' in the same ceremony were Ray Gravell, Hywel Gwynfryn and John Ogwen

Again during the 1980s there was an explosion of activity, with foreign tours to Germany and Portugal, and two interesting invitations received as a result of the choir's special status. Pontarddulais Male Choir was the first choir to appear on the new Welsh-language television channel, S4C, and Noel and his choir were invited to take part in the opening concert of the new and splendid St David's Hall in Cardiff. An indication of Noel's own status as a choral conductor was the invitation to conduct 'The Thousand Voices' at London's Albert Hall in 1982. Such was the success of that concert, and the desire of the participants to work once again with the guest conductor, that the organisers moved swiftly to secure his services again two years hence – an unusual honour in those days. After the Swansea National Eisteddfod, the choir did not compete again until 1994. Noel Davies hadn't changed his mind at all about the merits and benefits of competing, nor had he tired even after ten victories at the National. The main reason was that Noel, and his accompanist also, were receiving invitations to adjudicate at the National Eisteddfod.

After a quarter of a century conducting his choir, his energy and enthusiasm remained boundless. By this time, Noel had developed into an iconic figure in the world of Welsh male choirs, and he was acknowledged as being of the same pedigree as other giants such as Arthur Duggan, Ivor Simms and, of course, John Haydn Davies.

sicrhau fod y pwyllgorau priodol wedi trafod a chadarnhau'r trefniadau. Teg dweud mai cymhelliad Noel Davies unwaith eto oedd anelu at y safonau uchaf posib trwy fwrw ymlaen â'r gwaith paratoi cyn gynted â phosib. Beth bynnag am hynny, nid oedd yn gwerthfawrogi'r ymyrraeth, ac yn syml, fe ymddiswyddodd!

Ni chollodd barch y Brifwyl serch hynny, ac ar fore Iau, 6 Awst 1981, fe'i derbyniwyd i'r Orsedd yn Eisteddfod Maldwyn a'r Cyffiniau gan yr Archdderwydd James Nicolas, i'r Urdd Ofydd er Anrhydedd. Fe'i cyflwynwyd fel 'Mr Noel Davies, Pontarddulais, Cadeirydd Pwyllgor Cyngherddau Eisteddfod Genedlaethol Dyffryn Lliw 1980, ac arweinydd Côr Pontarddulais'. Ymhlith eraill a urddwyd gyda 'Noel Dyffryn Lliw' yn yr un seremoni roedd Ray Gravell, Hywel Gwynfryn a John Ogwen.

Yn ystod y 1980au eto gwelwyd ffrwydrad o weithgareddau, gyda theithiau tramor i'r Almaen ac i Bortiwgal a dau wahoddiad diddorol a ddaeth yn rhinwedd statws arbennig y côr. Côr Meibion Pontarddulais oedd y côr cyntaf i ymddangos ar y sianel deledu newydd, S4C, ac fe gafodd Noel a'i gôr wahoddiad i gyfrannu at gyngerdd agoriadol neuadd newydd ysblennydd Dewi Sant yng Nghaerdydd. Arwydd o statws Noel ei hun, fel arweinydd corawl oedd y gwahoddiad i arwain 'Y Mil o Leisiau' yn Neuadd Albert, Llundain, ym 1982. Cymaint oedd llwyddiant y cyngerdd hwnnw a brwdfrydedd y cantorion i gydweithio gyda'r arweinydd gwadd fel y symudodd y trefnwyr yn gyflym i sicrhau ei wasanaeth eto ymhen dwy flynedd – anrhydedd anarferol bryd hynny. Eisteddfod Genedlaethol Abertawe oedd yr eisteddfod olaf i'r côr gystadlu ynddi tan 1994. Nid oedd Noel Davies wedi newid ei feddwl o gwbl am rinweddau a manteision cystadlu nac wedi blino chwaith, hyd yn oed ar ôl deg buddugoliaeth yn y Brifwyl. Y prif reswm oedd bod Noel bellach, a'i gyfeilydd hefyd, yn derbyn gwahoddiadau i feirniadu yn yr Eisteddfod Genedlaethol.

Ar ôl chwarter canrif o arwain ei gôr, nid oedd pall ar ei egni. Erbyn hyn roedd Noel Davies wedi datblygu'n eicon ym myd corau meibion Cymru, ac fe'i cydnabuwyd yn yr un dosbarth â chewri eraill megis Arthur Duggan, Ivor Simms ac wrth gwrs John Haydn

As a result, invitations flooded in to conduct various festivals of massed male choirs in Wales and in England, to take masterclasses with various choirs, and to sit on various panels and committees of national importance. He was a member of the National Eisteddfod's Central Music Panel, the Executive Committee of the Guild for the Promotion of Welsh Music, and the Executive Committee of the Welsh Amateur Music Federation. As a teacher and headmaster, he had a special affection for Urdd Gobaith Cymru (the Welsh League of Youth movement) and he was a member of the Music Panel of the Urdd Eisteddfod, adjudicating frequently in local and county eisteddfodau as well as at the National Urdd Eisteddfod itself.

During the hustle and bustle of an already busy schedule, a unique, and very unusual opportunity arose for Noel and his choir, and from a somewhat unexpected quarter. Noel would have known very little, if anything, about Pink Floyd – but he learned quickly!

In 1979 this remarkable rock group had released a revolutionary album, *The Wall*, to international acclaim, reaching number 1 in the American charts and number 3 in Britain. By 1982 Roger Waters, one of the group's musicians, was planning a film for the cinema based on the album. The story is a psychologically complex one about a rock star whose mental faculties are gradually declining as a result of feeling increasingly lonely and isolated. Waters was looking at ways of enriching some of the tracks by using additional musical sounds, including the use of men's voices in order to intensify the emotion. But where could he find a choir and musical director who could respond with the required musical flexibility, especially when he himself was unsure of what he wanted? He was looking for people who would be ready to experiment with him and to discover appropriate sounds through a procedure of improvisation. He found what he was looking for in the Bont, and he arrived at the school with his huge lorry, packed with the latest electronic gadgetry and recording equipment, in order to work with Noel and the choir, record the results, and return to the studio to mix the material. The film shot into rock-music folklore, and amongst the credits appear – Pontarddulais Male Choir and conductor Noel Davis [*sic*]!

Davies. O ganlyniad, llifodd y gwahoddiadau i arwain mewn amryfal wyliau corau meibion unedig yng Nghymru a Lloegr, i gynnal dosbarthiadau meistr gyda chorau amrywiol, ac i weithredu ar baneli a phwyllgorau cenedlaethol. Bu'n aelod o Banel Cerdd Canolog yr Eisteddfod Genedlaethol, Pwyllgor Gwaith yr Urdd er Hyrwyddo Cerddoriaeth yng Nghymru, a Phwyllgor Gwaith Ffederasiwn Cerdd Amatur Cymru. Ac o gofio'i gefndir fel athro a phrifathro, roedd mudiad Urdd Gobaith Cymru yn agos at ei galon, ac fe fu'n aelod o Banel Cerdd Eisteddfod yr Urdd, gan feirniadu droeon mewn eisteddfodau cylch, sir a'r genedlaethol ei hun.

Ond yng nghanol yr holl brysurdeb fe ddaeth cyfle unigryw a hollol wahanol i Noel a'i gôr, a hwnnw o gyfeiriad cwbl annisgwyl. Mae'n bur debyg mai ychydig iawn, os unrhyw beth o gwbl, a wyddai Noel am Pink Floyd – ond fe ddysgodd yn gyflym!

Ym 1979 roedd y grŵp roc rhyfeddol hwn wedi rhyddhau ei albwm chwyldroadol *The Wall*, i gydnabyddiaeth ryngwladol, gan gyrraedd rhif 1 yn siartiau Unol Daleithiau America a rhif 3 ym Mhrydain. Erbyn 1982 roedd Roger Waters, un o gerddorion y grŵp, yn cynllunio ffilm i'r sinema yn seiliedig ar yr albwm. Mae'r stori yn un seicolegol gymhleth ac yn ymwneud â seren y byd roc yn dirywio'n feddyliol wrth deimlo'n gynyddol ynysig ac unig. Roedd Waters yn edrych ar ffyrdd o gyfoethogi rhai o'r traciau trwy ddefnyddio seiniau cerddorol ychwanegol, gan gynnwys lleisiau dynion i gryfhau'r emosiwn. Ond ble fedrai gael hyd i gôr a chyfarwyddwr cerdd a fedrai ymateb gydag ystwythder cerddorol i'w ofynion, yn enwedig pan nad oedd ef ei hun yn gwbl sicr o'i gynlluniau? Roedd yn edrych am bobl a fyddai'n barod i arbrofi gydag ef, a darganfod seiniau priodol trwy elfen o waith byrfyfyr. Cafodd yr ateb yn y Bont, ac fe ddaeth â'i lori enfawr yn llawn o'r offer recordio a'r cyfarpar electronig diweddaraf i'r ysgol er mwyn gweithio gyda Noel a'r côr, recordio'r canlyniadau, a dychwelyd i'r stiwdio i gymysgu'r deunydd. Saethodd y ffilm i chwedloniaeth y byd canu roc, a gwelir ar ei diwedd ymysg y credydau – Côr Meibion Pontarddulais a'r arweinydd, Noel Davies [*sic*]!

Roedd yn brofiad nad oedd Roger Waters yn mynd i'w

111

This was an experience that Roger Waters was not to forget, and although he split from the group shortly after producing the film, there was no erosion at all of his status in the world of rock music, and when the time came for him to produce a new concept album in 1987, with its theme on this occasion relating to the south Wales coal mining community, he rushed back to the Bont.

He and his entourage arrived at the little school with his lorry now packed with even more sophisticated equipment than before. The aim once again was to experiment, improvise, record and return to the studio for the process of sound-mixing. The result was *Radio KAOS,* described as a concept rock album and produced by Columbia Records. It is interesting, some twenty years later, to note the two main themes or concerns forming the basis of the work. First, it was argued that the biggest influence on mankind would ultimately be satellite communications. Waters himself in an article for the *Observer* best described the second theme:

> World powers are caught up in the idea that a free market is good for everybody and competition is the panacea for the world's ills. This thinking says that if you fail and you're miserable, that's the way the world is, and it's OK if you rampage around against each other. I have a sense if we accept that view of humanity, we haven't got very much longer as the major tenants of this earth.

After the production of the record, a performance tour was organised in typical rock group fashion in order to promote sales, and in the same article in the *Observer*, the following appeared:

> On the upcoming tour, Waters says, there will be a London performance, including the 100-voice Welsh choir. 'It's only 200 miles from Pontardoulais (sic). I recorded the choir in the village school with a mobile unit. You can hear the birds singing outside in the background. I could not go happily to my grave without performing with the choir on stage. That will be a magic moment, to sing on stage with those guys.'

anghofio, ac er iddo yntau a'r grŵp wahanu yn fuan ar ôl cynhyrchu'r ffilm, nid amharwyd ar ei statws o gwbl yn y byd canu roc, a phan ddaeth yr amser iddo gynhyrchu albwm cysyniad newydd ym 1987, a'r thema'r tro hwn yn berthnasol i gymdeithas lofaol de Cymru, brysiodd yn ôl i'r Bont.

Cyrhaeddodd yr ysgol fach gyda'i *entourage*, a'r lori bellach yn llawn offer oedd hyd yn oed yn fwy soffistigedig nag o'r blaen. Yr un oedd y bwriad, sef arbrofi, gweithio'n fyrfyfyr ar y pryd, recordio a dychwelyd i'r stiwdio i gymysgu'r seiniau. Y canlyniad oedd *Radio KAOS*, a ddisgrifiwyd fel albwm cysyniad roc ac a gynhyrchwyd gan Columbia Records. Diddorol nodi, ugain mlynedd yn ddiweddarach, y ddwy brif thema neu'r ddwy brif ddadl oedd yn sylfaen i'r gwaith. Yn gyntaf, mynegir y farn mai cyfathrebu trwy loerennau fyddai'n dylanwadu fwyaf ar dynged y byd yn y pen draw. Esbonnir yr ail thema yng ngeiriau Waters ei hun mewn erthygl yn yr *Observer* ar y pryd:

> World powers are caught up in the idea that a free market is good for everybody and competition is the panacea for the world's ills. This thinking says that if you fail and you're miserable, that's the way the world is, and it's OK if you rampage around against each other. I have a sense if we accept that view of humanity, we haven't got very much longer as the major tenants of this earth.

Ar ôl cynhyrchu'r record, trefnwyd taith berfformio yn unol â thraddodiad grwpiau roc er mwyn marchnata'r albwm a hybu'r gwerthiant, ac yn yr un erthygl yn yr *Observer*, gwelir y canlynol:

> On the upcoming tour, Waters says, there will be a London performance, including the 100-voice Welsh choir. 'It's only 200 miles from Pontardoulais (sic). I recorded the choir in the village school with a mobile unit. You can hear the birds singing outside in the background. I could not go happily to my grave without performing with the choir on stage. That will be a magic moment, to sing on stage with those guys.'

A welwyd car tebyg ym Mhontarddulais o'r blaen?
Was ever such a car seen in Pontarddulais before?

Recordio traciau ar gyfer *The Wall*
Recording tracks for *The Wall*

Roger Waters, Pink Floyd, yn llofnodi adeg y recordio
Roger Waters, Pink Floyd, signing autographs during the recording sessions

Aros yn eiddgar am lofnod Roger Waters
Waiting eagerly for Roger Waters's autograph

It never happened, though, and Roger Waters still hasn't performed live with the choir. And the credits once again on the record state that Noel Davis was conducting the choir.

In the previous year, 1986, Noel Davies was awarded the MBE in the New Year's Honours List. The timing of this accolade was particularly appropriate, coming as it did after a quarter of a century of success with his choir, and the cards, letters and messages of congratulations flooded in to the couple's home in Garden Village. With typical modesty, Noel emphasised that, in reality, this was an honour for the choir. Amidst the mixed bag of correspondence, the occasional humorous snippet brought a smile to Noel's face. His old friend Bob Barratt of EMI Records wrote, 'Sorry if the envelope's wrong but I can't remember what the Queen gave you!' And he also received the following parody on the well-known carol 'Noel, Noel' from a local admirer:

> When I first heard Noel, that the powers that be
> Had decided to give you the gong, MBE,
> We were not at all surprised, when they gave you the gong,
> After all you have done for our dear Land of Song.
> Noel, Noel, Noel, Noel,
> There is no doubt, friend, that you have done well.
>
> Now the choir at the Bont, it has made you a star,
> But we all know it's you made them great as they are,
> The award that you've received is a prime accolade,
> And the boys of the choir feel so proud it was made.
> Noel, Noel, Noel, Noel,
> There is no doubt, friend, that you have done well.

A quarter of a century conducting the choir, but there was no sign of flagging energy or enthusiasm. He was willing as ever to seek out new experiences – and there was another interesting invitation on the horizon. British Airways was about to launch its newest aircraft, the BAE 146, purported to be the world's quietest airliner, and the marketing agency engaged to prepare all

Ddigwyddodd mo hynny, fodd bynnag, ac mae Roger Waters yn dal heb berfformio'n fyw gyda Chôr y Bont. Ac mae'r credydau ar y record unwaith eto'n dweud mai Noel Davis oedd yn arwain y côr!

Y flwyddyn flaenorol, ym 1986, fe anrhydeddwyd Noel Davies â'r MBE yn rhestr anrhydeddau'r Flwyddyn Newydd. Roedd amseriad y gydnabyddiaeth hon yn briodol ar ôl chwarter canrif o lwyddiant gyda'i gôr, ac fe lifodd y cardiau, y llythyron a'r negeseuon o longyfarchiadau i gartref Noel a Joan ym Mhentre'r Ardd. Gyda'i hynawsedd arferol, mynegodd Noel yn groyw mai anrhydedd i'r côr ydoedd mewn gwirionedd. Ymhlith yr ohebiaeth amrywiol, roedd ambell bwt yn dod â gwên i wyneb Noel. Ysgrifennodd ei hen ffrind, Bob Barratt, o gwmni recordiau EMI, 'Sorry if the envelope's wrong but I can't remember what the Queen gave you!' Ac wedyn, derbyniodd y parodi canlynol ar y garol adnabyddus 'Noel, Noel' gan un cyfaill lleol:

When I first heard Noel, that the powers that be
Had decided to give you the gong, MBE,
We were not at all surprised, when they gave you the gong,
After all you have done for our dear Land of Song.
Noel, Noel, Noel, Noel,
There is no doubt, friend, that you have done well.

Now the choir at the Bont, it has made you a star,
But we all know it's you made them great as they are,
The award that you've received is a prime accolade,
And the boys of the choir feel so proud it was made.
Noel, Noel, Noel, Noel,
There is no doubt, friend, that you have done well.

Chwarter canrif o arwain y côr felly, ond doedd dim pall ar ei egni na'i frwdfrydedd na'i barodrwydd i edrych am her a phrofiadau newydd eto – ac roedd gwahoddiad diddorol arall ar y gorwel. Roedd British Airways ar fin lansio awyren newydd sbon, sef y BAE 146, yr awyren dawelaf a welsai'r byd hyd hynny, ac roedd yr

arrangements for the launch was looking for novel and striking ideas. If Pink Floyd and Roger Waters had been impressed with the choir's melodious sounds and the flexibility to work quickly within demanding time constraints, didn't the answer lie with Noel Davies and his choir? But there were only a matter of a few weeks before the official launch at Hatfield airfield outside London, and the idea was to sing an unaccompanied arrangement of the Simon and Garfunkel song 'The Sound of Silence'. A new special arrangement was needed for the occasion, timed to perfection, and beginning in hushed tones, with the aircraft in complete darkness. The sound was to grow gradually as the outline of the magnificent plane began to appear through the swirling mist, reaching a resounding climax as the floodlights struck the splendid aircraft. The task of arranging the music was given to the accompanist, with Noel converting every note into sol-fa notation for the choir. Words and music were memorised in no time, and a thrilling performance was given in the presence of the press, mass media and various international guests.

The next challenge awaiting Noel and the choir was a very different one, namely the learning of a brand new piece by Gareth Glyn for a concert to be broadcast from Cardiff's St David's Hall, appropriately on St David's Day 1988. The substantial change in musical idiom did not worry Noel and his choir, and with their usual professionalism, they set about mastering the new piece, a setting of Psalm 150 for male choir and full orchestra. The letter of thanks (written in Welsh) received by Noel from the composer, crystallizes the talent and the musical vision of the skilful conductor:

I had never doubted your ability to learn the work, but I had not prepared myself for the perfect conviction and confidence conveyed by you in your performance . . . Your interpretation of the work was exactly what I had hoped for, and the numerous complimentary remarks that I have heard since the concert testify to the fact that the co-operation between the composer, the conductor and the choir was a success . . . Once again, heartfelt thanks for your achievement.

118

asiantacth farchnata a gyflogwyd i baratoi ar gyfer y lansiad yn edrych am syniadau gwreiddiol a thrawiadol. Os oedd Pink Floyd a Roger Waters wedi cydnabod gwerth seiniau soniarus y côr ynghyd â'r hyblygrwydd i weithio'n gyflym dan bwysau amser, onid Noel Davies a'i gôr oedd yr ateb? Ond, wythnosau'n unig oedd cyn y lansio swyddogol ym maes awyr Hatfield tu allan i Lundain, a'r syniad oedd canu trefniant digyfeiliant o gân Simon a Garfunkel 'The Sound of Silence'. Roedd angen trefniant newydd, arbennig i'r achlysur, wedi'i amseru'n berffaith, gan ddechrau'n eithriadol o dawel tra oedd yr awyren mewn tywyllwch llwyr. Roedd gofyn i'r sain gynyddu'n raddol wrth i siâp yr awyren ddechrau ymddangos trwy'r niwl mwll, gan dyfu i uchafbwynt gorfoleddus wrth i'r llifoleuadau daro'r awyren ysblennydd. Y cyfeilydd gafodd y dasg o drefnu'r darn, gyda Noel wrthi yn trosi pob nodyn i'r sol-ffa ar gyfer y côr. Dysgwyd y cyfan ar y cof ymhen dim amser, a chafwyd perfformiad gwefreiddiol yng ngŵydd y wasg, y cyfryngau torfol a gwesteion rhyngwladol amrywiol.

Her hollol wahanol oedd yn wynebu Noel a'r côr nesaf, sef dysgu gwaith newydd sbon gan Gareth Glyn ar gyfer cyngerdd i'w ddarlledu o Neuadd Dewi Sant, Caerdydd, ar ddydd Gŵyl Dewi 1988. Nid oedd y newid sylweddol o idiom gerddorol yn broblem i Noel nac i'r côr, ac aed ati gyda'r proffesiynoldeb arferol i fcistroli'r darn newydd, sef gosodiad o Salm 150 i gôr meibion a cherddorfa lawn. Mae'r llythyr o ddiolch a dderbyniodd Noel gan y cyfansoddwr yn crisialu dawn a gweledigaeth gerddorol yr arweinydd medrus:

> Nid oeddwn erioed wedi amau eich gallu i ddysgu'r gwaith, ond nid oeddwn wedi paratoi fy hun ar gyfer yr arddeliad a hyder perffaith a fynegasoch yn y perfformiad . . . Roedd eich dehongliad o'r gwaith yn union yr hyn yr oeddwn wedi gobeithio amdano, ac mae'r nifer o sylwadau canmoliaethus yr wyf wedi eu clywed ers y cyngerdd yn brawf bod cydweithrediad y cyfansoddwr, yr arweinydd a'r côr wedi bod yn llwyddiant . . . Unwaith eto, diolch o galon am eich gorchest.

The vigour and energy of the choir continued unabated, as did the pressure of work on Noel, and though, he would miss the little school in Killay, he decided to retire early from his post as headmaster there in 1989. At about the same time, with a young family and increasing professional commitments, I was finding it difficult to devote the necessary time to one of the nation's busiest choirs. Throughout the years, virtually from the very beginning, Noel had frowned upon the idea of having someone to assist the musical team. With the exception of a brief period when establishing the choir, there was neither a deputy conductor nor a deputy accompanist. This was a strangely perilous strategy, but Noel was not to be moved. The system worked because of his remarkable attendance record in rehearsals and concerts. He was extremely fortunate in terms of his health over the years. However, he was eventually persuaded of the need to appoint an assistant accompanist by the end of the 1980s, at least in order to help in an occasional practice, but Noel was never particularly happy with the arrangement. In the absence of his accompanist, he would prefer to hammer out the notes himself, although the word 'hammer' is painfully close to an accurate description. He endured constant barracking from choir members for his somewhat moderate pianistic skills – but all in a spirit of healthy laughter.

By 1991, after my eventual and inevitable departure, he had a new accompanist, and once again one who had been through the remarkable musical regime at Gowerton School. Clive Phillips was his name, and a successful decade of amicable and fruitful rapport between Noel and Clive followed. During that period, several new records and compact discs were produced, frequent broadcasts were made for radio and television, and concerts were given across the length and breadth of Britain and beyond, including tours to the USA and western Canada. The world of rock music had not been forgotten either, and Noel and the choir performed with Catatonia in Margam Park when that group topped the charts. This was a period also when Noel spent a little more time helping other choirs. His willingness to offer advice to young conductors has already been

Parhaodd bwrlwm y côr, a'r pwysau gwaith ar Noel hefyd, ac er y byddai'n gweld eisiau'r ysgol fach yng Nghilâ, penderfynodd ymddeol yn gynnar o'i swydd fel pennaeth yno ym 1989. Tua'r un adeg, roeddwn innau, gyda theulu ifanc a chyfrifoldebau proffesiynol cynyddol, yn ei chael hi'n anodd rhoi'r amser angenrheidiol i un o gorau prysuraf y genedl. Ar hyd y blynyddoedd, bron oddi ar y cychwyn mewn gwirionedd, gellir dweud bod Noel Davies wedi dirmygu'r syniad o gael unrhyw un i gynorthwyo'r tîm cerddorol. Ac eithrio am gyfnod byr wrth sefydlu'r côr, ni fu dirprwy arweinydd, na dirprwy gyfeilydd chwaith. Strategaeth ryfedd o beryglus oedd hon, ond doedd dim symud ar Noel. Fe weithiodd pethau oherwydd ei record anhygoel o ran presenoldeb mewn ymarfer a chyngerdd. Bu'n ffodus iawn o ran ei iechyd ar hyd y blynyddoedd. Beth bynnag, cafwyd perswâd arno tua diwedd y 1980au i dderbyn bod angen cyfeilydd cynorthwyol, o leiaf i helpu mewn ambell ymarfer. Ond mewn gwirionedd, ni fu Noel fyth yn gwbl esmwyth â'r drefn honno. Byddai'n well ganddo mewn ymarfer fwrw ati ei hun yn absenoldeb y cyfeilydd, er bod y term 'bwrw ati' yn boenus o agos at ddisgrifiad addas. Dioddefodd dynnu coes cyson gan aelodau'r côr am ei ddiffyg doniau ar y piano – popeth wrth gwrs mewn awyrgylch o chwerthin iach.

Erbyn 1991, a minnau wedi gorfod rhoi'r gorau iddi, roedd ganddo gyfeilydd newydd, ac unwaith eto un a fu drwy gyfundrefn gerddorol anhygoel Ysgol Tre-gŵyr. Clive Phillips oedd enw'r gŵr hwnnw, a chafwyd degawd o gydweithio hapus a llwyddiannus rhwng y ddau. Yn ystod y cyfnod hwnnw cynhyrchwyd nifer o recordiau a chryno ddisgiau newydd, darlledwyd yn gyson ar radio a theledu, ac fe gynhaliwyd cyngherddau ar hyd a lled Prydain a thu hwnt, gan gynnwys teithiau i'r Unol Daleithiau ac i orllewin Canada. Nid anghofiwyd y byd canu roc chwaith, ac fe berfformiodd Noel a'r côr gyda Catatonia ym Mharc Margam pan oedd y grŵp hwnnw ar frig y siartiau. Dyma'r cyfnod hefyd y bu Noel yn treulio ychydig mwy o amser yn helpu corau eraill. Nodwyd eisoes ei barodrwydd i estyn cyngor i arweinyddion ifainc,

121

noted, but he also received invitations to hold practical workshops with various choirs. The response of one conductor was typical of the appreciation expressed for his ability to inspire:

> Many thanks for the workshop you did with the Choir [Côr Meibion y Bontfaen] last Wednesday evening . . . You must be commended for your knowledge of vocal technique, your obvious wealth of experience and your willingness to share these things with us. Many members of the choir have come to me asking if I will approach you to visit us again as they found it a most informative and rewarding session . . . I am sure that if other choirs discover you are available for these sessions you will be an extremely busy gentleman.

For reasons referred to earlier, Noel had not taken his choir to the National Eisteddfod since 1982 when it came to Swansea, but in 1994 the National was returning to the area once again, this time to Neath. There were whisperings that several male choirs would enter the chief competition, but there was disappointment ahead for Noel and his choir. The usual months of careful and dedicated preparation ended with the realisation that the Bont would be the only choir competing, thus repeating the circumstances faced at Ammanford in 1970. Despite the remarks of the adjudicators that they had heard choral singing at its very best, and that Noel was extending the choir's record to eleven victories at the National, the absence of other competitors was still a blow. That was the last National Eisteddfod in which Noel competed, but his competitive days were not over – not by a long way.

Noel and Joan were very fond of attending the Edinburgh Festival in August, and the two were also keen visitors to the Llangollen International Eisteddfod. Noel greatly regretted the restrictions that applied to the numbers of choristers allowed in the grand competition for male choirs held on the Saturday of the festival. It wouldn't cross his mind to select and reject voices in order to compete, but a chance to compare standards with the best

ond roedd hefyd yn derbyn gwahoddiadau i gynnal gweithdai ymarferol gyda chorau amrywiol. Mae ymateb un arweinydd yn nodweddiadol o'r gwerthfawrogiad o'i allu i ysbrydoli:

> Many thanks for the workshop you did with the Choir [Côr Meibion y Bontfaen] last Wednesday evening . . . You must be commended for your knowledge of vocal technique, your obvious wealth of experience and your willingness to share these things with us. Many members of the choir have come to me asking if I will approach you to visit us again as they found it a most informative and rewarding session . . . I am sure that if other choirs discover you are available for these sessions you will be an extremely busy gentleman.

Am resymau y cyfeiriwyd atynt eisoes, nid oedd Noel wedi mynd â'i gôr i'r Eisteddfod Genedlaethol oddi ar 1982 yn Abertawe, ond ym 1994 roedd y Brifwyl yn ôl yn yr ardal yng Nghastell-nedd. Roedd sôn y byddai nifer o gorau meibion yn mentro ar y brif gystadleuaeth, ond siom oedd yn aros Noel a'i gôr. Aethpwyd trwy'r misoedd o baratoi gofalus dim ond i ddarganfod yn y diwedd mai'r Bont fyddai'r unig gôr i gystadlu, gan ailadrodd y sefyllfa a gododd yn Rhydaman ym 1970. Er gwaethaf sylwadau'r beirniaid, sef iddynt glywed canu corawl ar ei orau, a'r ffaith bod Noel wedi ymestyn record y côr i un ar ddeg o fuddugoliaethau yn y Brifwyl, roedd diffyg cystadleuaeth yn dal yn siom. Honno oedd yr Eisteddfod Genedlaethol olaf i Noel gystadlu ynddi, ond nid oedd ei ddyddiau cystadlu drosodd eto – o bell ffordd.

Roedd Noel a Joan yn hoff iawn o fynychu gwyliau megis Gŵyl Caeredin ym mis Awst, ac roeddent yn ymwelwyr cyson hefyd ag Eisteddfod Ryngwladol Llangollen. Gresynai Noel yn fawr oherwydd y cyfyngu oedd yn bodoli ar nifer y lleisiau a ganiatawyd yn y gystadleuaeth fawr i gorau meibion ar ddydd Sadwrn yr ŵyl. Ni fyddai Noel byth yn ystyried dethol lleisiau o'i gôr er mwyn cystadlu, ond braf iawn fyddai cael y cyfle i bwyso a mesur safonau

in the world would be a fine thing. By the end of the 1990s regulations had changed at Llangollen, and the restrictions lifted, but let us bear in mind that Noel had already reached his seventieth birthday and that the choir was close to celebrating its fortieth anniversary under his direction. He was also realising by this time that he could not go on for ever, and his dear wife was now in the cruel grip of Alzheimer's. Who would have found fault had he taken his foot off the accelerator? However, his drive, determination and perseverance came to the fore as he ventured to compete for the first time at Llangollen in 1999. Victories for Welsh choirs had been few and far between in Llangollen, although Froncysyllte and Godre'r Aran had shown that it was possible to win there.

The preparation was as thorough as ever, but the best choirs of the competition, as expected, were of the highest standard, and it was a difficult task to differentiate between them: the marks were remarkably close. By a hair's breadth, Colne Valley Male Choir, one of England's leading male choirs and past winners at Llangollen, came to the fore, with Côr Godre'r Aran in second place and the Bont coming in third. In its context, it was a commendable result, but Noel and his choir had failed to reach the pinnacle in a competition for the first time since the 1960s. This was a test of the choir's character, and the ability of the conductor to respond and inspire his choristers.

At this time, Noel was dealt some severe blows of the kind that remind us all of the frailties of life. Joan's health was deteriorating rapidly, and then, at the turn of the new millennium, the president of the choir, Professor Ieuan Williams, passed away. He had been the choir's president from the very beginning, and a tremendous support to Noel in many ways over the years. He was the Head of Swansea University's Extra-Mural Department, and he was the young Welsh teacher who had come to Gowerton School as Noel was about to leave in 1946. It was he also who chronicled the history of the choir's first twenty-five years. In his funeral service in January 2000, a tribute to him was paid by Professor Emeritus Sir Glanmor Williams, before the Pontarddulais Male Choir, under

yn erbyn goreuon y byd. Erbyn diwedd y 1990au roedd yr amodau wedi newid yn Llangollen, a'r cyfyngiadau wedi eu codi, ond cofier, roedd Noel erbyn hyn wedi croesi'r saith deg mlwydd oed, a'r côr yn agos at ddathlu deugain mlynedd dan ei arweinyddiaeth. Roedd hefyd erbyn hynny yn dechrau sylweddoli na allai ddal ati am byth, ac roedd ei gymar bywyd bellach yng nghrafangau creulon afiechyd Alzheimer. Pwy fyddai wedi gweld bai arno, petai wedi tynnu ei droed oddi ar y sbardun? Ond dyma weld tystiolaeth pellach o'i ddycnwch, ei benderfyniad a'i ddyfalbarhad wrth iddo fentro arni am y tro cyntaf yn Llangollen ym 1999. Prin iawn oedd llwyddiannau corau o Gymru yn Llangollen, er i Froncysyllte a Godre'r Aran brofi bod modd cyrraedd y brig yno.

Bu'r paratoi mor drylwyr ag erioed, ond roedd corau gorau'r gystadleuaeth yn arbennig o uchel eu safon yn ôl y disgwyl, a thasg anodd oedd gwahaniaethu rhyngddynt, a'r marciau'n rhyfeddol o agos. O drwch blewyn, Côr Meibion Colne Valley, un o brif gorau meibion Lloegr, ac enillwyr o'r blaen yn Llangollen, ddaeth i'r brig, gyda Chôr Godre'r Aran o Gymru yn ail, a'r Bont yn y trydydd safle. Roedd yn ganlyniad clodwiw yn ei gyd-destun, ond roedd Noel a'i gôr wedi methu cyrraedd y brig mewn cystadleuaeth am y tro cyntaf ers y 1960au. Dyma brawf felly ar gymeriad y côr, a gallu'r arweinydd i ymateb ac ysbrydoli ei gantorion.

Cyfnod oedd hwn pan ddioddefodd Noel y fath ergydion ag sydd yn ein hatgoffa i gyd o freuder bywyd. Roedd iechyd Joan yn dirywio'n gyflym, ac yna ar ddechrau'r mileniwm newydd, bu farw llywydd y côr, yr Athro Ieuan Williams. Bu'r gŵr hwn yn llywydd ar y côr o'r cychwyn cyntaf, ac yn gefn aruthrol i Noel mewn sawl ffordd ar hyd y blynyddoedd. Ef oedd Pennaeth yr Adran Efrydiau Allanol ym Mhrifysgol Abertawe, ac ef oedd yr athro ifanc Cymraeg a ddaeth i Ysgol Tre-gŵyr pan oedd Noel ar fin gadael ym 1946. Ef hefyd a groniclodd hanes chwarter canrif cyntaf bodolaeth y côr. Yn y gwasanaeth coffa yn Ionawr 2000 cafwyd teyrnged gan yr Athro Emeritws Syr Glanmor Williams, cyn i Gôr Meibion Pontarddulais, dan arweiniad Noel Davies, ganu gosodiad trawiadol Max Bruch o Salm 23, un o ffefrynnau'r llywydd.

the direction of Noel Davies, sang Max Bruch's striking setting of Psalm 23, one of the president's favourites.

By this time, Joan was in a hospital close to home, in Garngoch, Gorseinon, and receiving the best possible care there. Noel would visit her daily. I had known her since the 1960s, and had enjoyed her company at many events, not only involving the choir, but also on other social occasions. She had a wicked sense of humour, and we both enjoyed pulling each other's leg. When I visied her one day at Garngoch Hospital, she explained to me excitedly that Noel was about to come to pick her up in order to go on holiday together, though everyone knew of course that she could never leave Garngoch. On departing I asked her to remember to tell Noel that I had been to see her. 'Of course,' she said, 'and who shall I say you were?' By this time also, Noel had lost many of his closest friends in the choir.

One way of blotting out the sorrow surrounding him was to concentrate on competing once again in Llangollen in 2000, but many members of his choir, and other friends as well, were concerned at the state of his health, and began to feel that it was time for him to retire. But once again the familiar strength of character shone through. One more ambition remained, and that was to win at Llangollen. Côr Godre'r Aran were the victors, though, with the Bont a very close second.

Joan passed away on New Year's Day 2001. As noted earlier, there was no family, but some of Noel's friends from the choir were particularly loyal to him at this difficult time, and were a source of great strength as they offered their comfort and support. The occasional social 'supper' was arranged during this period, at which Noel would ask some of his close friends whether it was time for him to retire. 'Carry on', was our response, despite some reservations we may have had.

But, thankfully, he did carry on, because in 2001 he once again took his choir to Llangollen, and this time defeated all comers. The test piece was the 'Thieves' Chorus' from the opera *Ernani* by Verdi, with the rest of the Bont's programme made up of an

Erbyn hyn roedd Joan mewn ysbyty cyfagos i'w cartref, yng Ngarngoch, Gorseinon, ac yn cael y gofal gorau posib yno. Byddai Noel yn ymweld â hi'n ddyddiol. Roeddwn wedi ei hadnabod ers y 1960au, ac wedi mwynhau ei chwmni droeon ar achlysuron amrywiol, nid yn unig yn ymwneud â'r côr, ond ar adegau cymdeithasol eraill hefyd. Roedd ganddi synnwyr digrifwch direidus ac roedd y ddau ohonom yn hoff o dynnu coes ein gilydd. Wrth ymweld â hi yn Ysbyty Garngoch un diwrnod, esboniodd hi i mi, gydag afiaith, fod Noel ar fin dod i fynd â hi ar wyliau gyda'i gilydd, er bod pawb yn ymwybodol wrth gwrs na fyddai byth yn gadael Garngoch. Wrth ffarwelio, dywedais wrthi am gofio dweud wrth Noel fy mod wedi galw i'w gweld. 'Of course,' meddai, 'and who shall I say you were?' Erbyn hyn hefyd, roedd Noel wedi colli sawl un o'i ffrindiau agosaf yn y côr.

Un ffordd o anwybyddu'r trallod o'i gwmpas oedd canolbwyntio ar gystadlu eto yn Llangollen yn 2000, ond roedd sawl aelod o'i gôr, ac eraill ohonom hefyd, yn pryderu am gyflwr ei iechyd, ac yn dechrau teimlo fod yr amser wedi cyrraedd iddo roi'r gorau iddi. Ond gwelwyd y dycnwch unwaith yn rhagor. Roedd un uchelgais yn aros, sef ennill yn Llangollen. Côr Godre'r Aran aeth â hi, serch hynny, yn 2000, gyda'r Bont yn ail agos iawn.

Bu farw Joan ar ddydd Calan 2001. Fel y nodwyd eisoes, nid oedd teulu ganddynt, ond bu rhai o ffrindiau Noel o blith y côr yn hynod o deyrngar iddo yn ystod y cyfnod anodd hwn, ac yn gefn a chymorth iddo wrth iddo ailgydio yn ei fywyd. Trefnwyd ambell swper cymdeithasol yn ystod y cyfnod hwn, a gofynnai Noel o bryd i'w gilydd i rai o'i ffrindiau agosaf a oedd yn amser iddo roi'r gorau iddi. Cariwch ymlaen oedd ein hateb, er nad oeddem yn gwbl sicr, mae'n rhaid cyfaddef, mai dyna'r cyngor gorau.

Ond dal ati a wnaeth, diolch i'r drefn, oherwydd yn 2001 fe aeth a'i gôr unwaith eto i Langollen, a'r tro yma fe drechodd bawb. Y darn prawf oedd 'Cytgan y Lladron' allan o'r opera *Ernani* gan Verdi, ac roedd gweddill rhaglen y Bont yn blethiad o gerddoriaeth heriol gyfoes – 'Geiriau Olaf Dafydd' (Randall Thompson), 'Si Hwi' (Eric Jones) ac 'Y Pren ar y Bryn' (William Mathias). Hwn,

amalgam of challenging contemporary music – 'The Last Words of David' (Randall Thompson), 'Si Hwi' (Eric Jones) and 'Y Pren ar y Bryn' (William Mathias). This was undoubtedly Noel's finest achievement with the choir, and the cause of great celebrations. During those latter few years, a bond of friendship had been formed between Côr y Bont and Côr Godre'r Aran, and between Noel Davies and Eirian Owen. Godre'r Aran had not competed in 2001, but Noel received a heartfelt message from Eirian (in Welsh) following the Bont's victory:

> A thousand congratulations to you and the choir on your victory in Llangollen on Saturday. It is great seeing choirs from Wales at the very top . . . I saw some of the Bont boys before leaving the field and told them that I thought Côr y Bont was sure of winning. I didn't hear the Choir of the World competition – but I hope you also enjoyed taking part in that. I remember the first time we won the Male Choirs (1996), taking part in the Choir of the World was a 'thrill', but last year, after winning again, I found it difficult to discover the same 'buzz' to return to the stage later in the evening. It's difficult to reach a 'high' twice in one day, isn't it? And the Choir of the World can feel like an anticlimax! . . . Anyway, no one can take the afternoon away from you. You did brilliantly and I'm sure that you and the boys of the choir are on cloud nine! Well done, you.

Eirian Owen had hit the nail on the head, realising that it would be an astonishing feat for a male choir to win the 'Choir of the World' at Llangollen.

Noel's health was deteriorating and his energy failing, and he had to remain at home in the autumn of 2001 when the choir went on tour to Spain. Noel consulted close friends once again, asking had the time come to give up. 'Hand over the reins' came the reply this time, considering the frail state of his health, and bearing in mind that as a result, his conducting skills were faltering.

128

Eisteddfod y Glowyr,
Porth-cawl, 1987

The Miners' Eisteddfod,
Porth-cawl, 1987

Eisteddfod
Genedlaethol
Castell-nedd,
1994

The National
Eisteddfod
Neath,1994

Eisteddfod Ryngwladol
Llangollen, 2001

Llangollen International
Eisteddfod, 2001

Dathlu chwarter canmlwyddiant y Côr yng nghwmni George Guest
Celebrating the Choir's twenty-fifth anniversary in the company of
George Guest

Ar ddiwedd cyngerdd llwyddiannus arall
At the end of another successful concert

Noel a Joan ar
ôl derbyn yr
MBE, 1986

Noel and Joan
after receiving
the MBE, 1986

'Y Mil o Leisiau' yn
Neuadd Albert, 1982

'The Thousand Voices' at
the Albert Hall, 1982

Cyfarfod â'r Fam
Frenhines wedi cyngerdd
agoriadol Neuadd Dewi
Sant, Caerdydd, 1983

Meeting the Queen
Mother after the official
opening of St David's
Hall, Cardiff, 1983

Noel yn gweithredu fel Ynad Heddwch yn Nhre-gŵyr ac Abertawe

Noel presiding as Justice of the Peace at Gowerton and Swansea

Noel 'y peilot' ar ei ffordd i Ganada, 1973
Noel 'the pilot' on his way to Canada, 1973

Sbort a sbri ym Mhortiwgal, 1986
Time to relax in Portugal, 1986

Llongyfarch Noel ar lwyddiant y côr
yn Eisteddfod Genedlaethol y Barri, 1968

Acknowledging the choir's success at the
National Eisteddfod in Barry, 1968

Noel yng nghwmni Cellan Jones yng ngorymdaith yr Orsedd,
Eisteddfod Genedlaethol Maldwyn, 1981

Noel with Cellan Jones in the Gorsedd procession at
Maldwyn National Eisteddfod, 1981

Côr Meibion Pontarddulais yn Neuadd y Brangwyn
Pontarddulais Male Voice Choir at the Brangwyn Hall

Noel ac/and Eric Jones

Noel a Clive Phillips yn Neuadd y Brangwyn, 1992
Noel and Clive Phillips at the Brangwyn Hall, 1992

Noel a Clive Phillips yn y cinio ffarwel
Noel and Clive Phillips at the farewell dinner

mae'n siŵr, oedd uchafbwynt gyrfa Noel gyda'r côr, a hir fu'r dathlu. Dros y blynyddoedd diweddaraf hynny, ffurfiwyd cyfeillgarwch arbennig rhwng Côr y Bont a Chôr Godre'r Aran, a rhwng Noel Davies ac Eirian Owen. Nid oedd Côr Godre'r Aran yn cystadlu yn 2001, ond fe dderbyniodd Noel neges dwymgalon oddi wrth Eirian yn dilyn buddugoliaeth y Bont:

Llongyfarchiadau filoedd i chi ac aelodau'r côr ar y fuddugoliaeth yn Llangollen ddydd Sadwrn. Mae'n braf gweld corau o Gymru ar y brig . . . Gwelais rai o hogiau'r Bont cyn gadael y cae a dwedais wrthyn nhw mod i'n credu bod Côr y Bont reit ddiogel. Chlywais i mo gystadleuaeth Côr y Byd – ond gobeithio eich bod wedi mwynhau cymryd rhan yn honno hefyd. Rwy'n cofio'r tro cyntaf inni ennill y Corau Meibion (1996) roedd cymryd rhan yn Côr y Byd yn 'thrill', ond llynedd, ar ôl ennill eto, roeddwn i'n ei ffeindio hi'n bur anodd i ddarganfod yr un 'buzz' i fynd 'nôl i'r llwyfan eto'n ddiweddarach yr un noson. Mae'n anodd cyrraedd 'high' ddwy waith mewn un diwrnod yn dydy? A mae Côr y Byd yn gallu teimlo fel *anticlimax*! . . . Ta waeth, all neb ddwyn y p'nawn oddi wrthoch. Gwnaethoch yn ardderchog ac rwy'n sicr eich bod chi a bois y côr 'on cloud nine'! Go dda chi wir.

Roedd Eirian Owen yn agos i'w lle, ac yn sylweddoli mai camp aruthrol fyddai i unrhyw gôr meibion ennill 'Côr y Byd' yn Llangollen.

Roedd iechyd Noel yn dirywio hefyd a'r egni'n pallu, a bu'n rhaid iddo aros adref yn hydref 2001 pan aeth y côr ar daith i Sbaen. Cydgysylltodd Noel â'i ffrindiau agosaf eto, gan ofyn a ddaeth yr amser iddo roi'r gorau iddi. 'Trosglwyddwch yr awenau' oedd yr ymateb y tro hwn, o ystyried ei iechyd bregus, ac o sylweddoli fod ei ddoniau arwain yn dioddef, oherwydd hynny. Felly, ysgrifennodd Noel at Ysgrifennydd Côr Meibion Pontarddulais, ar 6 Ionawr 2002, diwrnod ei ben-blwydd:

Consequently, he wrote to the Secretary of the Pontarddulais Male Choir on 6 January 2002, his birthday:

This is probably the most difficult letter I'll ever write . . . I wish to retire as Musical Director of the Choir. I've had 41 glorious years of music making with the finest choir you could have. We've had great successes over the years, especially this year, and I've taken the choir as far as I can . . . I will miss it terribly. With Joan's encouragement and support, it's been my life since 1960.

Ieuan Williams's widow had been installed as Honorary Vice-President of the choir following the death of her husband, but shortly afterwards she passed away, and as Noel retired from the choir he was installed as President and Conductor Emeritus at a dinner in his honour in the Brangwyn Hall. He was pleased that Clive Phillips would be taking over as conductor. Interestingly, with the appointment of the young and talented English musician, David Last as accompanist, the link with Gowerton School would be broken. David was immediately baptised by the boys of the choir as 'Dai Diwethaf'!

How would Noel now structure his life? He was encouraged to write about his experiences and to continue with the choral workshops he had held earlier in his career. The principles of Coleg Harlech returned to inspire him also, and he joined the classes of a local college to study the history of the locality. He also joined Cylch Cinio Glannau Llwchwr, a Welsh-language group that met monthly in the King Hotel, Pontarddulais, for an evening dinner, an opportunity to socialise and to listen to a variety of guest speakers. He didn't forget the special care that Joan had received at Garngoch Hospital, and it was typical of him to try to repay those favours by volunteering to help there, answering the telephone and offering advice to the families of those suffering with Alzheimer's.

But he had graced the stages of Wales and beyond for over forty years; his was a familiar voice and face in the media; he was one of

This is probably the most difficult letter I'll ever write . . . I wish to retire as Musical Director of the Choir. I've had 41 glorious years of music making with the finest choir you could have. We've had great successes over the years, especially this year, and I've taken the choir as far as I can . . . I will miss it terribly. With Joan's encouragement and support, it's been my life since 1960.

Gwnaethpwyd gweddw Ieuan Williams yn Is-lywydd Anrhydeddus y côr yn dilyn marwolaeth ei gŵr, ond yn fuan wedyn bu hithau farw, ac wrth i Noel ymddeol fel arweinydd y côr, fe wnaethpwyd yntau yn Llywydd ac Arweinydd Emeritws y côr yn ystod cinio i'w anrhydeddu yn Neuadd y Brangwyn, Abertawe. Roedd yn falch mai Clive Phillips fyddai'n cymryd at yr awenau fel arweinydd, ac yn ddiddorol byddai'n rhaid torri'r cysylltiad ag Ysgol Tre-gŵyr am y tro cyntaf wrth benodi'r cerddor ifanc a dawnus o Sais, David Last, yn gyfeilydd newydd – un a fedyddiwyd gyda llaw yn fuan gan fois y côr yn 'Dai Diwethaf'!

Sut fyddai Noel nawr yn strwythuro'i fywyd? Fe'i hanogwyd i ysgrifennu am ei brofiadau ac i barhau hefyd â'r gweithdai corawl y bu'n eu cynnal yn gynharach yn ei yrfa. Daeth egwyddorion Coleg Harlech yn ôl i'w ysbrydoli hefyd, ac fe ymunodd ag un o ddosbarthiadau'r coleg lleol i astudio hanes ei ardal enedigol. Ymunodd hefyd â Chylch Cinio Glannau Llwchwr, a fyddai'n cwrdd yn fisol gyda'r nos yng ngwesty'r King, Pontarddulais, am bryd o fwyd, i gymdeithasu a gwrando ar siaradwyr gwadd amrywiol. Nid anghofiodd y gofal arbennig a gawsai Joan yn Ysbyty Garngoch, ac roedd yn gwbl nodweddiadol iddo geisio talu'r gymwynas yn ôl trwy wirfoddoli i helpu yno, yn ateb y ffôn ac yn cynnig cymorth i deuluoedd dioddefwyr clefyd Alzheimer.

Ond cofier, bu'n troedio llwyfannau Cymru a thu hwnt am ddeugain mlynedd; roedd yn llais ac yn wyneb cyfarwydd ar y cyfryngau; roedd yn un o'r rhai mwyaf adnabyddus ym myd canu corawl y genedl; roedd ymhlith y mwyaf gweithgar o'n cerddorion; bu'n cwrdd â'i gôr o leiaf ddwy waith, gan amlaf deirgwaith yr

the most well-known personalities in the nation's choral singing circles; he was among the most industrious of our musicians; he had met his choir at least twice, more often three times a week over the years. Now, however, he was out of the spotlight, and he missed the brightness of its beam.

Despite this, he remained loyal to the choir as a frequent visitor to rehearsals, and in 2003 the choir decided to compete in the Meifod National Eisteddfod, an area close to Noel's heart because of connections with Joan. In 1965 at Newtown, Côr y Bont had won in the chief male choir competition for the second time, and then in 1993 Noel was an adjudicator at the Builth National Eisteddfod and conducted the festival's Cymanfa Ganu. By 2003 the choir's record of victories in the chief male choir competition stretched to eleven. In one of the last rehearsals before the competition in 2003, as their President and Conductor Emeritus, his last words to his choir and the new musical team were, 'Make it a twelfth!'

On the first Saturday of the Meifod National, Noel kept to his habit of watching the opening day's events on the television. Within a week, his famous choir would be competing in the National Eisteddfod with someone else at the helm for the first time. But whilst viewing the eisteddfod activities, Noel died peacefully in his chair. A week later, Côr y Bont achieved their twelfth National win and, despite the obvious sadness, the victory was dedicated in memory of the choir's founder. In his adjudication, Brian Hughes expressed the view that this was the finest singing he had heard by a male choir for many years. After the result was announced, Brian Hughes returned to the stage in order to pay a special tribute to the late Noel Davies. It was a particularly poignant and emotional moment, bearing in mind that Brian Hughes had brought his Cynwrig Singers to the Bont's annual concert at the Brangwyn Hall in 1972, and his thrilling girls' choir from the Alun School in Mold to the annual concert in Pontarddulais village hall as far back as 1969.

wythnos ar hyd y blynyddoedd. Roedd bellach wedi camu oddi ar y llwyfan, ac fe brofodd y gwacter.

Fodd bynnag, bu'n deyrngar i'r côr fel ymwelydd cyson â'r ymarferion, ac yn 2003 penderfynodd y côr gystadlu yn Eisteddfod Genedlaethol Meifod, ardal, trwy gysylltiad Joan wrth gwrs, a fu'n agos iawn at galon Noel. Ym 1965, yn y Drenewydd, bu Côr y Bont yn fuddugol am yr ail waith yn y brif gystadlcuacth i gorau meibion, ac wedyn ym 1993 bu Noel yn feirniad yn Eisteddfod Genedlaethol Llanelwedd ac yn arwain cymanfa ganu'r Brifwyl yno. Erbyn 2003 roedd record y côr yn ymestyn i un ar ddeg o fuddugoliaethau yn y brif gystadleuaeth i gorau meibion. Yn yr ymarfer olaf cyn y gystadleuaeth yn 2003, fel eu Llywydd a'u Harweinydd Emeritws, ei eiriau olaf i'w gôr a'r tîm cerddorol ncwydd oedd, 'Make it a twelfth!'

Ar fore Sadwrn cyntaf y Brifwyl ym Meifod, yn unol â'i arfer, roedd Noel yn eistedd o flaen ei deledu yn blasu danteithion yr ŵyl. O fewn wythnos, fe fyddai ei gôr enwog yn cystadlu yn yr Eisteddfod Genedlaethol am y tro cyntaf dan arweiniad rhywun arall. Ond, wrth wylio digwyddiadau'r eisteddfod, bu Noel farw'n dawel yn ei gadair. Wythnos yn ddiweddarach, fe ddaeth Côr y Bont i'r brig am y deuddegfed tro yn y Genedlaethol. Mor boenus yr atseiniai geiriau olaf ingol Noel yn ein meddyliau'r diwrnod hwnnw, ond er y tristwch rhyfeddol cyflwynwyd y fuddugoliaeth hon er cof am sylfaenydd y côr. Yn ei feirniadaeth mynegodd Brian Hughes ei farn mai dyna'r canu gorau gan gôr meibion a glywsai ers blynyddoedd lawer. Wedi iddo gyhoeddi'r buddugwyr, dychwelodd Brian Hughes i'r llwyfan i dalu teyrnged arbennig iawn i'r diweddar Noel Davies. Roedd yn foment ddwys ac emosiynol, nid yn unig o gofio'r achlysur, ond hefyd o gofio bod Brian Hughes wedi dod â'i Gantorion Cynwrig i gyngerdd blynyddol y Bont yn Neuadd y Brangwyn ym 1972, a'i gôr merched gwefreiddiol o Ysgol Alun yr Wyddgrug i'r cyngerdd blynyddol, yn neuadd fach y pentref ym Mhontarddulais mor bell yn ôl â 1969.

HIS VISION AND PHILOSOPHY

Noel Davies's admiration of John Haydn Davies, Treorchy, has already been noted, and in many ways the two of them were similar as people. The Rev. Denis Young's tribute to John Haydn, which appeared in *Seren Cymru* following his death in 1991, is interesting in that the words can also be applied to Noel Davies:

> He didn't go to the mine . . . yet he never forgot the rock from which he was hewn. In paying tribute to him, here are the words of one member of his Choir: 'He was not only a Christian, but he also possessed Christian virtues; patient, kind, with the love that in Christ does not envy, nor boast, nor vaunt itself.'

For Noel Davies, the voice was a gift, and there was a moral duty to use it in order to enrich the life of the individual as well as the lives of others. For him, choral singing was the highest form of artistic expression, and supreme dedication was required in order to achieve the highest possible standards. Note his message to his choristers in the autumn 1969 edition of *Arolwg*, the choir's newsletter, where he is probably quoting someone else, as he often liked to do:

> A voice is one of the greatest of all gifts, and those with perception use it to add to the beauty of this world of ours. People have sung from time immemorial and from this singing has sprung the desire to join together in song for all occasions. There should be no secrets in the teaching of music, only sincere study for both student and teacher. Keenness is the

Ei Weledigaeth a'i Athroniaeth

Nodwyd eisoes bod Noel Davies yn edmygu John Haydn Davies, Treorci, yn fawr, ac mewn cynifer o ffyrdd roedd y ddau yn debyg i'w gilydd fel pobl. Diddorol yw teyrnged y Parch. Denis Young yn *Seren Cymru* i John Haydn yn dilyn ei farwolaeth ym 1991, a hawdd gweld bod y geiriau yn rhai priodol i Noel Davies hefyd:

> Nid i'r lofa yr aeth . . . serch hynny nid anghofiodd y graig y naddwyd ohoni. Wrth dalu teyrnged iddo, dyma eiriau un aelod o'r Côr: 'Nid yn unig roedd yn Gristion, ond meddai ar rinweddau Cristnogol hefyd, yn amyneddgar, yn gymwynasgar, gyda'r cariad sydd yng Nghrist nad yw yn cenfigennu, nac yn ymffrostio, nac yn ymchwyddo.'

I Noel Davies roedd y llais yn rhodd, ac roedd dyletswydd foesol i'w ddefnyddio er mwyn cyfoethogi bywyd yr unigolyn a bywydau pobl eraill yn ogystal. Iddo ef, canu corawl oedd y dull celfyddydol mwyaf aruchel ei fynegiant, ac roedd angen dyfalbarhad i'r eithaf er mwyn cyrraedd y safonau uchaf posib. Sylwer ar ei neges i'w gantorion yn rhifyn Hydref 1969 o *Arolwg*, cylchlythyr y côr, lle mae'n dyfynnu rhywun arall mae'n debyg, fel yr hoffai wneud:

> A voice is one of the greatest of all gifts, and those with perception use it to add to the beauty of this world of ours. People have sung from time immemorial and from this singing has sprung the desire to join together in song for all occasions. There should be no secrets in the teaching of music, only sincere study for both student and teacher.

keynote. And persistence in the pursuit of a great art, for nothing of worth can be achieved easily, and when one difficulty is conquered there are others to overcome.

His Christian and socialist upbringing is very evident in these words, as well as the mark left upon him by his educational experiences, particularly at Gowerton School and Coleg Harlech. Noel was fond of sharing with his choir various quotations that he would have come across, by a variety of musicians, if he felt that they crystallized his own view of things. Here he is again, in a later edition of *Arolwg*, referring to the words of a former conductor of the Harvard Glee Club:

> There are few imaginable enterprises so enthralling as the directing of an Amateur Chorus. To have companionship with eager men whose joy it is to create beauty by breathing life and significance into music which, without the exercise of their skill and intelligence, would remain cold symbols on a printed page; to have a part with them in the mutual accomplishment of high artistic ends, arrived at only after enthusiastic co-operation and painstaking labour, to see them grow in sensitiveness to the refinements of performance and in the appreciation of what is true and enduring in art – I cannot believe that many occupations offer greater rewards.

There is an emphasis here on the word 'amateur', of course, since that was the appropriate term to describe every member of Noel Davies's choir, as with other choirs – they were singers who were prepared to work hard and perform for the pleasure that was derived from the experience, rather than for any financial remuneration. But that was not to say that amateurish standards would be acceptable. On the contrary, Noel held to the maxim that the amateur practised until he got it right, whereas the professional practised until he couldn't get it wrong. And there is no doubt that the foundation for the success of Pontarddulais Male Choir lay in the intense and fruitful rehearsals

136

Keenness is the keynote. And persistence in the pursuit of a great art, for nothing of worth can be achieved easily, and when one difficulty is conquered there are others to overcome.

Hawdd yw gweld dylanwad ei fagwraeth Gristnogol a sosialaidd yn y geiriau yma, ynghyd â dylanwad y profiadau addysgol a gafodd yn Ysgol Tre-gŵyr ac yng Ngholeg Harlech. Byddai Noel yn hoff iawn o rannu gydag aelodau ei gôr ddyfyniadau gan amrywiaeth o gerddorion, a oedd yn ei dyb ef, yn crisialu ei deimladau yntau. Dyma fe eto, mewn rhifyn diweddarach o *Arolwg*, yn cyfeirio at eiriau cyn-arweinydd yr Harvard Glee Club:

There are few imaginable enterprises so enthralling as the directing of an Amateur Chorus. To have companionship with eager men whose joy it is to create beauty by breathing life and significance into music which, without the exercise of their skill and intelligence, would remain cold symbols on a printed page; to have a part with them in the mutual accomplishment of high artistic ends, arrived at only after enthusiastic co-operation and painstaking labour, to see them grow in sensitiveness to the refinements of performance and in the appreciation of what is true and enduring in art – I cannot believe that many occupations offer greater rewards.

Mae pwyslais yma ar y gair amatur, wrth gwrs, gan mai dyma oedd pob aelod o gôr Noel Davies, fel corau eraill – cantorion a oedd yn barod i weithio'n galed a pherfformio oherwydd y pleser a ddeuai yn sgil y profiadau hynny, nid oherwydd unrhyw gydnabyddiaeth ariannol. Ond ni olygai hynny y byddai safonau amaturaidd yn dderbyniol. I'r gwrthwyneb, roedd Noel Davies yn dal at y wireb fod yr amatur yn ymarfer nes iddo gael pethau'n gywir, tra oedd y proffesiynol yn ymarfer nes ei bod yn amhosib iddo gael pethau yn anghywir. Ac nid oes unrhyw amheuaeth mai sylfaen llwyddiant Côr Meibion Pontarddulais oedd yr ymarferion dwys a deallus dan arweiniad Noel. Ei gyfrinach oedd sicrhau y

Noel yng nghwmni un a edmygai'n fawr, John Haydn Davies
Noel in the company of one that he greatly admired, John Haydn Davies

Harvard Glee Club

Roy Castle wrth ei fodd yng nghwmni'r bechgyn
Roy Castle in his element with the boys

Balchder arweinydd
A conductor's pride and joy

under Noel's wise guidance. His secret was ensuring that his singers were 'on task' for a high percentage of the time available. His remarks and directions to his singers were succinct; he avoided long-winded instructions and guidance; he chose his words carefully, and communicated his wishes swiftly and with the minimum of fuss, so that the choir could recommence singing without delay. 'It's never good unless it's perfect' was his motto (this time quoting Simon Rattle), and aiming for that perfection was the objective.

One of the test pieces for the Carmarthen National Eisteddfod in 1974 was 'Mordaith Cariad' by T. Hopkin Evans. This was a comparatively short part-song, especially when compared with the second test piece, Schubert's monumental 'Song of the Spirits over the Waters', a work written for eight-part male choir. Everything was prepared meticulously as usual, but there were two bars in 'Mordaith Cariad' where Noel was not hearing what he wanted to hear. For weeks before the competition, in every rehearsal, the two bars were practised over and over and over again – two bars that in performance would last only a couple of seconds. That was the professional attitude in the amateur world – 'It's never good unless it's perfect.' The two bars clicked into place, and a sweeping victory was achieved in a competition that included some of the 'big names' of the time.

In the 'Pilgrims' Chorus' from Wagner's opera *Tannhauser* there is a central section in which it is particularly difficult to maintain pitch accurately because of the chromatic movement of the voices and the constant changes of key, features for which the composer is noted. It is a notoriously well-known challenge for male choirs, with some, in common even with the occasional professional opera company, deciding to play safe by having very quiet accompaniment in the background. Noel's response to the challenge was different, and typical of the man. He knew that success in performance would derive directly from meticulous preparation in the rehearsal room, and he set about devising a little booklet, in his own handwritten manuscript, of exercises and guidelines for his choir, completely based on the music from the central section of Wagner's chorus. This

byddai ei gantorion 'ar dasg' am ganran uchel o'r cyfnod ymarfer. Cryno oedd ei sylwadau a'i gyfarwyddiadau i'w gantorion; roedd yn osgoi esboniadau a chanllawiau hirwyntog; byddai'n dethol ei eiriau'n ofalus, ac yn cyfathrebu ei ddymuniadau'n chwim a diffws, fel bo modd i'r côr ailgydio yn y canu yn ddi-oed. 'Nid yw byth yn dda onid yw'n berffaith' oedd ei arwyddair (y tro hwn yn dyfynnu geiriau Simon Rattle), ac anelu at y perffeithrwydd hwnnw oedd y nod.

Un o'r darnau prawf yn Eisteddfod Genedlaethol Bro Myrddin ym 1974 oedd 'Mordaith Cariad' gan T. Hopkin Evans. Rhangan gymharol fer oedd hon, yn enwedig o'i chymharu â'r ail ddarn prawf, sef cytgan rhyfeddol Schubert, 'Can yr Ysbrydion dros y Dyfroedd', gwaith a gyfansoddwyd ar gyfer wyth o rannau lleisiol dynion. Dysgwyd popeth yn drylwyr yn ôl yr arfer, ond roedd dau far yn 'Mordaith Cariad' lle nad oedd Noel yn clywed yr hyn roedd am ei glywed. Am wythnosau cyn y gystadleuaeth, aethpwyd ati yn yr ymarferion i wella'r ddau far, drosodd a throsodd, a throsodd eto – dau far a fyddai'n parhau ond am eiliadau'n unig mewn perfformiad. Dyma'r ymagwedd broffesiynol yn y byd amatur – 'Nid yw byth yn dda onid yw'n berffaith'. Cliciodd y ddau far i'w lle, ac yn yr eisteddfod cafwyd buddugoliaeth ysgubol mewn cystadleuaeth a oedd yn cynnwys rhai o'r 'enwau mawr' ymhlith corau meibion y cyfnod.

Yng 'Nghytgan y Pererinion' o opera Wagner *Tannhauser,* mae adran ganolog ddigyfeiliant lle mae'n anodd tu hwnt i gynnal y donyddiaeth, oherwydd y symud cromatig yn y lleisiau ynghyd â'r trawsgyweirio cyson sydd mor nodweddiadol o'r cyfansoddwr. Mae'n her adnabyddus i gorau meibion, gyda rhai, fel ambell gwmni opera proffesiynol hyd yn oed, yn chwarae'n saff ac yn defnyddio cyfeiliant tawel yn y cefndir. Roedd ymateb Noel i'r her yn wahanol, ac yn gwbl nodweddiadol ohono. Gwyddai yntau y deuai llwyddiant y perfformiad yn uniongyrchol o baratoi trylwyr yr ystafell ymarfer, a bwriodd ati i gynllunio llyfryn bychan, yn ei lawysgrif ef ei hun, o ymarferion a chanllawiau i'w gôr, yn llwyr seiliedig ar gerddoriaeth adran ganolog cytgan Wagner. Mae'r

little document is a key to understanding how thorough and professional Noel Davies was in training his singers. He took short snippets of musical phrases that moved in semitones, and created exercises for every individual vocal part, changing pitch and key constantly. He did the same with rhythms, paying particular attention to triplets. Also in the booklet is advice for the choir on the quality and purity of vowel sounds, with extra help for his non Welsh-speaking singers – about half the membership, incidentally:

'f<u>a</u>ll' .... *vaa*
'<u>o</u>fni' .... *awvnee*
'cl<u>wy</u>' .... *cloo*

The little booklet is also sprinkled with significantly incisive directions: 'Think in phrases!', 'Bite!', 'Make the acciacatura sharp!', 'Don't punch . . . lean!' Bear in mind that this process was only for one section of a single chorus. And in the instruction 'Think in phrases!' we discern one of the important reasons for the choir's success, namely the ability to create and sustain phrases of remarkable musicality. This, together with attention to detail, and the musical strength of the inner vocal parts – first bass and second tenor – were the basis of Noel's accomplishments with his choir. Conventions for the placement of vocal sections on stage counted for nothing with Noel and, unusually, looking at Côr y Bont on stage, from left to right, we see Bass 1, Tenor 1, Tenor 2 and Bass 2, a pattern and arrangement that confused more than one guest conductor!

Early in his career there was an occurrence that subsequently influenced the way Noel prepared for a competition in a strange way. He had taken his youth choir to the eisteddfod in Porth-cawl and, prior to the competition, a rehearsal was held in a local chapel, where the test piece was performed so well that Noel exclaimed, 'Excellent, you'll never improve upon that!' He was right. On the eisteddfod platform, it was realised that the hoped-for performance had already been given in the rehearsal, and the choir failed to recapture those standards on stage. Noel Davies's reaction was

ddogfen fach hon yn allweddol i ddeall pa mor drylwyr a phroffesiynol oedd Noel Davies wrth hyfforddi ei gantorion. Cymerodd bytiau byr o frawddegau cerddorol a oedd yn symud fesul hanner tôn, a chreu ymarferion i bob adran leisiol unigol, gan newid y traw a'r cywair yn gyson. Gwnaeth yr un modd gyda rhythmau, gan roi sylw arbennig i dripledi. Yn y llyfryn hefyd rhoddir arweiniad i'r côr ar ansawdd a phurdeb llafariaid, gyda chymorth ychwanegol i'w gantorion di-Gymraeg – tua hanner y côr, gyda llaw:

> 'fall' .... *vaa*
> 'ofni' .... *awvnee*
> 'clwy' .... *cloo*

Mae'r llyfryn bach hefyd yn frith o gyfarwyddiadau bachog allweddol: 'Think in phrases!', 'Bite!', 'Make the acciacatura sharp!', 'Don't punch . . . lean!' ac yn y blaen. Cofier mai paratoi ar gyfer un adran o un cytgan oedd y broses hon. Ac yn y cyfarwyddyd 'Think in phrases' gallwn ddirnad un o'r prif resymau am lwyddiant y côr, sef y gallu i greu a chynnal brawddegau a chymalau hynod gerddorol. Hwn, ynghyd â sylw i fanylion, a chadernid cerddorol y lleisiau mewnol bas cyntaf ac ail denoriaid – oedd sail llwyddiant Noel a'i gôr. Doedd confensiwn lleoli adrannau lleisiol ar lwyfan ddim yn bwysig i Noel, ac yn anarferol iawn, wrth edrych ar Gôr y Bont ar lwyfan, o'r chwith i'r dde, ceid Bas 1, Tenor 1, Tenor 2 a Bas 2, patrwm a threfniant oedd yn gyfrifol am ddrysu mwy nag un arweinydd proffesiynol gwadd!

Yn gynnar yn ei yrfa fel arweinydd corawl, cafodd Noel brofiad a oedd i ddylanwadu mewn ffordd ryfedd ar ei ddull o baratoi ar gyfer cystadleuaeth. Aeth â'i gôr ieuenctid i'r Eisteddfod ym Mhorth-cawl, a chyn y gystadleuaeth cafwyd ymarfer olaf mewn capel cyfagos, lle canwyd y darn prawf cystal fel y dywedodd Noel, 'Ardderchog, chanwch chi fyth mo hwnna'n well!' A gwir y gair. Ar lwyfan yr eisteddfod, sylwoddolwyd bod y perfformiad y gobeithiwyd amdano eisoes wedi'i glywed yn yr ymarfer, ac ni

astonishing and, though few outside his male choir believe this, after that early experience, no test piece was ever sung in its entirety until the performance in the actual competition itself. This was a dangerous strategy indeed, but given the remarkable competitive record of the choir over the years, who could argue? For Noel, the preparation was similar to boiling a kettle, and from a timing perspective, he didn't want to achieve boiling point too soon on the one hand, or too late on the other, but rather on the stage itself.

From the outset, Côr y Bont never required a recruitment strategy. As noted earlier, the choir grew in number remarkably quickly, and though there have been fluctuations from time to time, it has scarcely ever dipped below 110 members. Obviously, that membership changed over the years, and during Noel's tenure he doubtless worked with hundreds of singers. How was it possible, then, to gain a place in this busy choir, one whose standards were so highly acclaimed? One might have expected an auditioning process, where the quality of the voice might be assessed, as well as the singer's mastery of musical reading skills perhaps, either in standard notation or sol-fa. But it wasn't like that at all! If the prospective member was able to sing a simple scale in tune, Noel would assess the compass of the voice, and in no time would say, 'OK, let's give it a try with first bass' or something similar. For Noel, the most important criterion was the person's desire to sing, and if he was unable to read music, part of the choir's remit was to teach him. The rationale of 'the second chance college' at work again.

There is little wonder that he engendered the respect of his singers because he himself showed them respect and encouraged them all, regardless of their musical abilities. Many choir members became Noel's close, lifelong friends, and his feelings of pastoral responsibility extended to everyone in the choir. He knew the members very well, was aware of their family backgrounds, showed an interest in their professional lives, celebrated their successes and sympathised at times of sadness.

His willingness to develop as a musician, choral instructor and

lwyddwyd i gyrraedd yr un safon ar y llwyfan. Roedd ymateb Noel Davies yn syfrdanol, ac er na chredir hyn gan lawer y tu allan i'w gôr meibion, ni chanwyd unrhyw ddarn prawf drwodd yn ei gyfanrwydd cyn unrhyw gystadleuaeth wedi hynny. Strategaeth beryglus oedd hon, ond pwy allai ddadlau â hi o ystyried record gystadleuol anhygoel y côr ar hyd y blynyddoedd? I Noel, roedd y paratoi yn debyg i ferwi tegell ac, o ran amseriad, nid oedd am weld y berwi'n digwydd yn rhy gynnar ar yr un llaw, nac yn rhy hwyr ar y llall, ond ar y llwyfan yn y gystadleuaeth.

O'r cychwyn cyntaf nid oedd angen polisi recriwtio ar Gôr y Bont. Fel y gwelwyd eisoes, tyfodd y côr yn gyflym iawn o ran niferoedd, ac er i'r niferoedd hynny amrywio o bryd i'w gilydd, o'r braidd ei fod erioed wedi bod â llai na 110 o aelodau. Newidiodd yr aelodaeth wrth reswm dros y blynyddoedd, ac yn ystod cyfnod Noel wrth y llyw mae'n rhaid ei fod wedi gweithio gyda channoedd o gantorion. Sut felly oedd ennill lle yn y côr prysur hwn, un a oedd mor uchel ei safonau? Nid annisgwyl fyddai gorfod cael gwrandawiad o ran ansawdd lleisiol, a pharodrwydd i ddangos crebwyll go gadarn o sgiliau darllen cerddoriaeth – naill ai hen nodiant neu sol-ffa. Ond nid felly roedd hi! Os oedd y darpar aelod yn gallu canu graddfa syml mewn tiwn, byddai Noel yn asesu cwmpawd y llais, ac mewn dim amser dywedai, 'Iawn te, rhown dro arni gyda'r bas cyntaf' neu rywbeth tebyg. Y maen prawf pwysicaf i Noel oedd awydd y person i ganu, ac os na fedrai ddarllen cerddoriaeth, rhan o swyddogaeth y côr oedd ei addysgu. Cofier 'Coleg yr ail gyfle'.

Does ryfedd iddo ennyn parch ei gantorion gan iddo yntau amlygu parch tuag atynt hwy a pharodrwydd i'w hannog, pa beth bynnag eu gallu cerddorol. Daeth nifer o aelodau'r côr yn gyfeillion mynwesol gydol oes i Noel Davies, ac ymdeimlai yntau â chyfrifoldeb bugeiliol dros bawb yn y côr. Adnabyddai ei aelodau'n dda iawn, a gwyddai am eu cefndiroedd teuluol, ymddiddorai yn eu bywydau proffesiynol, gan gyd-ddathlu yn eu llwyddiannau a chydymdeimlo â hwy yn eu tristwch.

Nodwyd eisoes ei awydd a'i barodrwydd i'w ddatblygu ei hun fel cerddor, hyfforddwr corawl ac arweinydd, ac yn hyn o beth

conductor has been commented upon earlier, and in this respect he was an avid reader of the written adjudications received by the choir over the years, and considered them all very carefully. He didn't look for the complimentary remarks, despite their frequency, but rather he pondered over any suggestions for improvement.

He was genuinely interested in all aspects of the eisteddfod world, particularly the National, and he had many friends from the realms of literature as well as music in Wales. He delighted in the Welsh language and in the Welsh identity generally; he was a patriot who had a profound cultural understanding that went beyond music alone, and he had a keen awareness of the country's history and traditions. One of the things that brought him particular pleasure was seeing the establishment of Swansea's new Welsh-medium secondary school – Ysgol Gyfun Gŵyr – in the buildings of his former school in Gowerton at the end of the 1980s, and that joy was enhanced on seeing the high musical standards achieved there. The choir of Ysgol Gyfun Gŵyr appeared with the Pontarddulais Male Choir on more than one occasion, with several of the male choir members' children singing with the school choir.

Turning to another edition of *Arolwg* allows us this time to elicit Noel Davies's ideas regarding repertoire.

> Our policy . . . has always been – something for everyone – and that we try to give as wide a selection of music as possible . . . I think also that there should be something . . . for choristers themselves, and which also interests choristers from other choirs . . . something which may not catch the interest of 'non-choristers' but which immediately appeals to choristers, because they have studied the work closely, and spent many patient hours in learning it . . . We must aim at singing the best and greatest music which is available to Male Voice Choirs.

With few exceptions, it is fair to say that the repertoire of our male choirs has been rather a conservative one over the years, with the fare usually consisting of hymn-tune arrangements, folk songs,

byddai'n astudio'r beirniadaethau ysgrifenedig a gâi'r côr ar hyd y blynyddoedd yn hynod ofalus. Nid oedd yn edrych am y sylwadau canmoliaethus, er mor fynych oedd y rheiny wrth gwrs, ond yn hytrach yn myfyrio dros yr awgrymiadau ar sut i wella. Agwedd yr amatur 'proffesiynol' oedd mor nodweddiadol ohono unwaith eto.

Ymddiddorai Noel ym mhob agwedd o'r byd eisteddfodol, yn enwedig y Genedlaethol, ac rocdd ganddo nifer o ffrindiau yn y byd llenyddol yn ogystal â'r byd cerddorol yng Nghymru. Ymhyfrydai yn y Gymraeg a Chymreictod yn gyffredinol; roedd yn genedlgarwr a meddai ar ddealltwriaeth ddofn o ddiwylliant ehangach na cherdd yn unig, ac ymwybyddiaeth lwyr o hanes a thraddodiadau'r wlad. Un o'r pethau a ddaeth â phleser arbennig iddo oedd gweld lleoli ysgol uwchradd newydd cyfrwng Cymraeg Abertawe, sef Ysgol Gyfun Gŵyr, yn adeiladau ei hen ysgol yntau yn Nhre-gŵyr ar ddiwedd y 1980au. Gwelwyd dyblu'r pleser hwnnw o dystio i safonau cerddorol uchel yr ysgol honno. Ymddangosodd Côr Ysgol Gyfun Gŵyr gyda Chôr Meibion Pontarddulais ar fwy nag un achlysur, a byddai nifer o blant aelodau Côr y Bont yn canu yng nghôr yr ysgol.

Trown eto at rifyn arall o *Arolwg,* y tro hwn er mwyn dirnad teimladau Noel Davies ynghylch *repertoire*:

> Our policy . . . has always been – something for everyone – and that we try to give as wide a selection of music as possible . . . I think also that there should be something . . . for choristers themselves, and which also interests choristers from other choirs . . . something which may not catch the interest of 'non-choristers' but which immediately appeals to choristers, because they have studied the work closely, and spent many patient hours in learning it . . . We must aim at singing the best and greatest music which is available to Male Voice Choirs.

Gydag eithriadau prin, teg dweud mai ceidwadol fu *repertoire* ein corau meibion ar hyd y blynyddoedd, gyda'r arlwy gan amlaf yn cynnwys trefniannau o emynau, alawon gwerin a chaneuon

spirituals, uncomplicated part-songs, the great and well-known choruses of the male choir world, together with the occasional operatic chorus. The repertoire chosen by Noel Davies during the first year of the choir's existence reflected this pattern – 'Laudamus' (Daniel Protheroe), 'Ar Hyd y Nos' (arr. Hugh Roberton), 'Myfanwy' (Joseph Parry), 'Comrades in Arms' (Adolphe Adam), 'Steal Away' (arr. Maurice Jacobson) and the chorus 'O Isis and Osiris' from the opera *The Magic Flute* (Mozart). But hidden amongst these pieces is a work of substance from the classical repertoire – Edward Elgar's 'Feasting I Watch', and the learning of this kind of work was crucial in Noel's view. Over succeeding years, as the 'traditional' repertoire grew, works such as the following also appeared: 'To the Sons of Art' (Mendelssohn), Rhapsody for Contralto and Male Choir (Brahms), 'Great is Jehovah' (Schubert, arr. Liszt), 'Brothers in Song' (Grieg), 'The Consolation of Music' (Bruckner), Psalm 23 (Bruch) as well as music referred to earlier such as 'Song of the Spirits over the Waters' (Schubert), and the complete setting of the Cherubini Requiem. At the very end of his career with the choir Noel was still introducing classical works to the repertoire, and in the 1998 annual concert, rare performances of two Schubert part-songs, 'Nachtelle' and 'A Night in the Woods' to the accompaniment of four French horns, were heard. Again, in the celebration concert of 2000, the audience was treated to Faure's sublime 'Cantique de Jean Racine'.

Noel Davies was eager to challenge his choir and to challenge the listeners also, and ever since the visit of the Harvard Glee Club to the Bont he had developed an interest in the works composed for male-voice choirs by contemporary composers in the USA. One favourite was Randall Thompson, and his pieces, 'The Last Words of David', 'The God who Gave us Life' and the beautiful, unaccompanied Alleluia were all learnt. Another challenging American piece learnt was 'Red Iron Ore' by the conductor of the Harvard Glee Club when they came to the Bont, Eliot Forbes, and Noel had also introduced to his choir several skilful arrangements of spiritual songs by Marshall Bartholomew. Experience, challenge, stretching the boundaries, developing and aiming for perfection: this was his philosophy.

ysbrydol, rhanganau syml, y cytganau mawr enwog traddodiadol o fyd y corau meibion ynghyd ag ambell gytgan o fyd yr opera. O edrych yn fras ar y *repertoire* a ddewiswyd gan Noel Davies yn ystod blwyddyn gyntaf bodolaeth ei gôr, digon agos ydyw i'r patrwm hwn – 'Laudamus' (Daniel Protheroe), 'Ar Hyd y Nos' (tr. Hugh Roberton), 'Myfanwy' (Joseph Parry), 'Comrades in Arms' (Adolphe Adam), 'Steal Away' (tr. Maurice Jacobson) a'r cytgan 'O Isis ac Osiris' allan o'r opera *Y Ffliwt Hudol* (Mozart). Ond ymhlith y darnau cyfarwydd yma, ceir gwaith safonol o'r *repertoire* clasurol, sef 'Feasting I Watch' (Edward Elgar), ac roedd dysgu'r math hwn o gerddoriaeth yn allweddol ym marn Noel. Dros y blynyddoedd nesaf, gyda'r *repertoire* 'traddodiadol' yn tyfu, gwelir gweithiau fel y canlynol hefyd: 'To the Sons of Art' (Mendelssohn), Rhapsodi i Gontralto a Chôr Meibion (Brahms), 'Mawr yw Iehofa' (Schubert, tr. Liszt), 'Brodyr Mewn Cân' (Grieg), 'Cysur Cân' (Bruckner), Salm 23 (Bruch) yn ogystal â'r gweithiau y cyfeiriwyd atynt eisoes megis 'Cân yr Ysbrydion dros y Dyfroedd' (Schubert) a gosodiad cyflawn o Requiem Cherubini. Hyd at ddiwedd ei yrfa gyda'r côr roedd Noel yn dal i ychwanegu gweithiau clasurol i'r *repertoire* ac yng nghyngerdd blynyddol 1998, clywyd perfformiadau prin o ddwy rangan gan Schubert eto, 'Nachtelle' a 'Nos yn y Coed' i gyfeiliant pedwar corn Ffrengig. Yn y cyngerdd dathlu yn 2000 canwyd 'Cantique de Jean Racine' (Fauré).

Roedd Noel Davies yn benderfynol nid yn unig o herio'i gôr ond herio'r gwrandawyr hefyd, a byth oddi ar ymweliad yr Harvard Glee Club â'r Bont roedd ganddo ddiddordeb arbennig yn y gweithiau a ysgrifennwyd i gorau meibion gan gyfansoddwyr cyfoes o'r Unol Daleithiau. Un ffefryn oedd Randall Thompson, ac fe ddysgwyd 'The Last Words of David', 'The God who Gave us Life' a'r Alleluia digyfeiliant gwefreiddiol o'i eiddo. Darn Americanaidd heriol arall a ddysgwyd oedd 'Red Iron Ore' gan Eliot Forbes, arweinydd yr Harvard Glee Club pan ddaethant ar eu hymweliad â'r Bont. Cyflwynodd Noel hefyd nifer o drefniannau lleisiol medrus o ganeuon ysbrydol gan Marshall Bartholomew i'w gôr. Profiad, her, ymestyn, datblygu ac anelu at berffeithrwydd – dyna'i athroniaeth.

149

Noel Davies's desire to champion contemporary Welsh music and his eagerness to perform new works has been discussed earlier. Pieces learnt were by a host of composers including Arwel Hughes, Mansel Thomas, William Mathias, Alun Hoddinott, Mervyn Burtch, Brian Hughes, Gareth Glyn and others. When it came to mastering innovative twentieth-century music, perhaps the greatest challenge for Noel and his choir came in preparing for the Cardiff National Eisteddfod in 1978. The set pieces chosen were the unaccompanied part-song 'The Peacocks' by Zoltán Kodály, William Mathias's subtle setting of 'Nos a Bore', together with a long and complex piece, 'The Dream of Llewelyn ap Gruffydd' by the Englishman Alan Bush. There were many technical difficulties to overcome, but Noel persevered with his usual patience and determination. Here are his words when addressing his choristers in the Annual General Meeting of the choir towards the end of that year:

Nothing was taken for granted in our preparation for the Cardiff National. It was hard, it was challenging, and it was dedicated, and I hope it was also enjoyable . . . Satisfaction came from conquering technical problems and it gave one a sense of achievement.

In the same speech, Noel quoted the words of the world-renowned orchestral conductor Georg Solti, which he had heard in a recent television programme. Solti had been asked how members of his orchestra – the Chicago Symphony Orchestra – maintained their enthusiasm and interest. Noel tells his singers to listen to the answer:

Simply, 'We love music,' said Solti, and went on to stress that every orchestra and choir must have spirit – a sense of pride in itself and a determination to maintain standards. It must be forward looking and not backward looking.

He knew that the words were equally relevant to his choir also. Reference has already been made to the kind of music prevalent in

150

Gwelwyd eisoes ymrwymiad Noel Davies i gerddoriaeth gyfoes Cymru a'i frwdfrydedd o ran perfformio gweithiau newydd, ac fe ddysgwyd darnau gan doreth o gyfansoddwyr, gan gynnwys Arwel Hughes, Mansel Thomas, William Mathias, Alun Hoddinott, Mervyn Burtch, Brian Hughes, Gareth Glyn ac eraill. O ran mynd i'r afael â cherddoriaeth yr ugeinfed ganrif yn gyffredinol, efallai mai wrth baratoi ar gyfer Eisteddfod Genedlaethol Caerdydd ym 1978 y daeth yr her fwyaf i Noel a'i gôr. Gosodwyd fel darnau prawf rangan ddigyfeiliant 'Y Peunod' gan Zoltán Kodály, gosodiad cyfrwys William Mathias o 'Nos a Bore', a darn hir a chymhleth, 'Breuddwyd Llywelyn ap Gruffydd', gan y Sais Alan Bush. Roedd nifer o broblemau technegol i'w goresgyn, ond bwriodd Noel ati gyda'i amynedd a'i ddyfalbarhad arferol. Dyma'i eiriau wrth annerch ei gantorion yng Nghyfarfod Blynyddol y côr ar ddiwedd y flwyddyn honno:

> Ni chymerwyd unrhyw beth yn ganiataol yn ein paratoi ar gyfer y Genedlaethol eleni. Roedd yn galed, roedd yn heriol ac roedd yn ymroddgar, a gobeithiaf iddo fod yn fwynhad hefyd . . . Daeth boddhad o goncro'r problemau technegol ac roedd yna ymdeimlad o orchest ar y diwedd

Yn yr un araith, cyfeiriodd Noel at eiriau'r arweinydd cerddorfaol byd-enwog Georg Solti, a glywsai mewn rhaglen deledu ddiweddar. Gofynnwyd i Solti sut oedd aelodau ei gerddorfa – Cerddorfa Symffoni Chicago – yn llwyddo i gynnal eu brwdfrydedd a'u diddordeb. Gwrandewch ar yr ateb, meddai Noel:

> Yn syml, 'Rydym yn caru cerddoriaeth,' meddai Solti cyn mynd ymlaen i bwysleisio y dylai fod gan unrhyw gerddorfa neu gôr ymdeimlad o falchder a dyhead i gynnal safonau. 'It must be forward looking, and not backward looking,' meddai.

Gwyddai fod y geiriau yr un mor bwrpasol a gwir i'r côr hefyd. Cyfeiriwyd eisoes at natur *repertoire* y rhan fwyaf o gorau meibion Cymru adeg geni Côr Meibion Pontarddulais. Ond nid cyfyng mo

the repertoire of male choirs at around the time that Pontarddulais Male Choir was formed. Over succeeding decades, choirs tended to sing many more arrangements of lighter music from the world of 'pop' or musical theatre. Indeed, some choirs concentrated on this type of music. Bearing in mind the relationship with Pink Floyd and Catatonia, and the fact that Noel and his choir shared the stage with some of Britain's foremost light entertainment artistes over the years, Noel was more than happy to include such music in the choir's programmes. And so we return to his words – 'Something for everyone'. The result was a truly eclectic mix in concert programmes, when a selection from songs such as 'Solitaire', 'The Impossible Dream', 'Take Me Home', 'Memory', 'Bridge Over Troubled Waters' and others, would appear alongside 'highbrow' classical and contemporary works. Some of the pieces were arranged by Noel himself, though it is fair to say that he was never really confident in this aspect of his work with the choir. He preferred leaving the task of arranging and adapting to others. Having said that, his arrangement of 'Dashenka' by Islwyn Ffowc Ellis has remained one of the classics in the repertoire of most male choirs in Wales, and beyond.

In yet another edition of *Arolwg* Noel Davies summarises his view of the potency and power of choral music to engage the emotion of the listener, to enrich the lives of choirs and audiences alike, to inspire and to civilise. What resonates above all is his firm belief in the higher purpose of music and art in general:

> What about the friends we have made and never met? I am thinking in particular of the gentleman from Lancashire who writes regularly and sends us reviews of our records. Then there is the gentleman from Budapest who wrote after hearing a broadcast of ours on the BBC World Service. And the lady who writes from Australia asking about the records we have made – she has got one and could we please send her some more. And there are many others who have written from various parts of the world. And what you must

gweledigaeth Noel, a thros y degawdau oedd i ddilyn gwelwyd cynnydd sylweddol yn nifer y trefniannau a ganwyd o ddarnau ysgafn, o'r byd 'pop' neu o lwyfannau'r sioeau cerdd. Yn wir, canolbwyntiodd ambell gôr ar y math yma o gerddoriaeth. O gofio'r berthynas gyda Pink Floyd a Catatonia, a'r ffaith i Noel a'i gôr rannu llwyfan gyda rhai o artistiaid amlycaf adloniant ysgafn Prydain ar hyd y blynyddoedd, roedd Noel yn fwy na hapus i gynnwys y math yma o gerddoriaeth yn rhaglenni ei gôr. A dyma ni felly yn dychwelyd at ei eiriau – 'Rhywbeth i bawb' ac o ganlyniad, nid oedd yn anarferol profi'r chwaeth eclectig yma mewn cyngerdd, lle byddai detholiad o blith caneuon megis 'Solitaire', 'The Impossible Dream', 'Take Me Home', 'Memory', 'Bridge Over Troubled Waters' ac eraill, yn ymddangos ochr yn ochr â darnau 'uchel-ael' clasurol a chyfoes. Roedd rhai o'r darnau yma wedi eu trefnu gan Noel ei hun, ond teg fyddai dweud nad oedd yn gwbl hyderus yn yr agwedd yma o'i waith gyda'r côr meibion. Gwell oedd ganddo adael y dasg o drefnu ac addasu cerddoriaeth i eraill. Wedi dweud hynny, mae ei drefniant o 'Dashenka', o eiddo Islwyn Ffowc Ellis, yn dal yn un o glasuron *repertoire* y rhan fwyaf o gorau meibion Cymru a thu hwnt.

Gwrandewch arno eto mewn rhifyn arall o *Arolwg* yn crynhoi ei athroniaeth a'i farn am rym a phŵer cerddoriaeth gorawl i gyffwrdd â theimladau gwrandawyr, i gyfoethogi bywydau corau a chynulleidfaoedd fel ei gilydd, i ysbrydoli a gwareiddio. Unwaith eto adleisia ei gred gadarn yn y pwrpas uwch sydd i gerddoriaeth a chelfyddyd yn gyffredinol:

What about the friends we have made and never met? I am thinking in particular of the gentleman from Lancashire who writes regularly and sends us reviews of our records. Then there is the gentleman from Budapest who wrote after hearing a broadcast of ours on the BBC World Service. And the lady who writes from Australia asking about the records we have made – she has got one and could we please send her some more. And there are many others who have written

remember is that these people have never seen us . . . We have made friends because of our singing . . . Whatever gifts we have are not of our own making. They have been given to us for a great purpose and it is our job in life to develop these gifts so far as we are able.

A further international dimension in the history of Noel Davies's choir of course lay in the large number of world-renowned artistes who had appeared with the choir over the decades, either as guests close to home or in concerts beyond Wales. It was undoubtedly an indication of the choir's status that stars from the world of opera were prepared to accept invitations to the choir's annual concerts. Many of them were Welsh, including Geraint Evans, Stuart Burrows, Margaret Price, and the closest to home, of course, Dennis O'Neill, another of Gowerton School's musical talents. But there were others from very far away, such as New Zealand's Kiri Te Kanawa, and a galaxy of stars from light entertainment, such as Roy Castle and Harry Secombe. Indeed, a list of singers, instrumentalists, bands, orchestras, guest conductors and media personalities who had shared the stage with Noel Davies would be a remarkably lengthy one.

Noel Davies's deftness at quoting others in order to crystallize his own views was well known, and in a speech at a special function in 1995 to celebrate the twenty-first anniversary of the formation of the Alcester Male Choir, Noel once again turned to the words of another musician – Hugh Roberton:

A conductor is born and not made. He is long suffering, neither slow to anger nor plenteous in mercy. He must be human with a sense of humour. He must believe in himself . . . but that belief in himself must never degenerate into that conceit which is a potted form of ignorance . . . The salvation of any conductor lies in a fixed ideal and a solid determination to reach it. Fortunately, a conscientious conductor can always carry with him people who believe in his aims and are willing to share any burdens.

from various parts of the world. And what you must remember is that these people have never seen us . . . We have made friends because of our singing . . . Whatever gifts we have are not of our own making. They have been given to us for a great purpose and it is our job in life to develop these gifts so far as we are able.

Dimensiwn rhyngwladol arall i hanes côr Noel Davies, wrth gwrs, oedd yr artistiaid byd-enwog a rannodd lwyfan gyda'r côr ar hyd y degawdau, naill ai fel gwesteion iddynt yn agos i gartref, neu fel cyd-artistiaid mewn cyngherddau tu hwnt i Gymru. Arwydd o statws y côr oedd parodrwydd enwogion y byd opera i dderbyn gwahoddiad i gyngherddau blynyddol y côr. Cymry oedd llawer ohonynt, yn eu plith, Geraint Evans, Stuart Burrows, Margaret Price a'r agosaf i gartref wrth gwrs, Dennis O'Neill, un arall o dalentau cerddorol Ysgol Tre-gŵyr. Ond roedd eraill o ben draw'r byd hefyd, fel Kiri Te Kanawa o Seland Newydd, a thoreth o gantorion o fyd adloniant ysgafn, megis Roy Castle a Harry Secombe i enwi ond rhai. Mewn gwirionedd, byddai'r rhestrau o gerddorion, offerynwyr, bandiau, cerddorfeydd, arweinyddion gwadd ac enwogion o fyd y cyfryngau a rannodd lwyfan gyda Noel Davies yn un rhyfeddol o faith.

Mor gyfoethog oedd dawn Noel Davies i ddyfynnu eraill er mwyn crisialu ei safbwynt ef ei hun, ac ar achlysur dathlu pen-blwydd Côr Meibion Alcester yn un mlwydd ar hugain ym 1995, unwaith eto defnyddiodd Noel eiriau cerddor arall, Hugh Roberton:

A conductor is born and not made. He is long suffering, neither slow to anger nor plenteous in mercy. He must be human with a sense of humour. He must believe in himself . . . but that belief in himself must never degenerate into that conceit which is a potted form of ignorance . . . The salvation of any conductor lies in a fixed ideal and a solid determination to reach it. Fortunately, a conscientious conductor can always carry with him people who believe in his aims and are willing to share any burdens.

In essence, this was Noel Davies's philosophy, and he continued:

[The conductor] thinks in advance of his choir and cannot always bring himself quickly into line with their stage of comprehension. When his tongue becomes heated – the choristers save the situation by constant exercise of intelligence and by complete surrender of the soul . . . But when all is said, the secret of the making of a great choir lies clearly and finally in the mutual co-operation of a capable and enthusiastic leader and a band of capable and enthusiastic choristers.

It is interesting to note that Noel did not go to this celebratory event alone, but he took the whole choir with him, walking into the concert a little before the end in order to join in the singing, and to present a huge birthday cake

Who can measure his stature? Who can measure the magnitude of his contribution? Who can measure the depth of sorrow at his loss? In the Annual General Meeting of 1996 he quoted the words of Nigel Kennedy, from an article that had appeared in the *Guardian*, about the remarkable cellist Pablo Cassals. This was Noel's philosophy, and this was the legacy he left for others to inherit:

He [Cassals] wasn't carried away with trying to impress people with his virtuosity – he wasn't showing off – he just got into the heart and soul of the music . . . he was a true mirror of the work he was portraying . . . It takes a really sensitive and a truly great musician to understand those works and to convey that understanding to an audience.

In quoting Kennedy, Noel was paying tribute to the ability of his choir, but the choristers themselves recognised in those powerful words Noel Davies's own remarkable attributes shining through clearly and with a brilliance that would be remembered for years to come.

Yn ei hanfod, dyma athroniaeth Noel Davies. Aeth yn ei flaen:

[The conductor] thinks in advance of his choir and cannot always bring himself quickly into line with their stage of comprehension. When his tongue becomes heated – the choristers save the situation by constant exercise of intelligence and by complete surrender of the soul . . . But when all is said, the secret of the making of a great choir lies clearly and finally in the mutual co-operation of a capable and enthusiastic leader and a band of capable and enthusiastic choristers.

Diddorol nodi nad Noel yn unig aeth i'r digwyddiad hwn yn Alcester, ond aeth â'r côr cyfan gydag ef, gan gerdded i mewn i'r cyngerdd ychydig cyn y diwedd, i ymuno yn y dathliadau a'r canu, a chyflwyno cacen ben-blwydd anferth i'r arweinydd a'r aelodau.

Pwy all fesur maint ei berson? Pwy all fesur maint ei gyfraniad? Pwy all fesur maint ei golled? Yng Nghyfarfod Blynyddol 1996 dyfynnodd eiriau Nigel Kennedy a ymddangosodd ar ffurf erthygl yn y *Guardian* am y chwaraewr cello anhygoel Pablo Cassals. Dyma athroniaeth Noel a dyma'r gwaddol a adawodd i eraill fedi:

He [Cassals] wasn't carried away with trying to impress people with his virtuosity – he wasn't showing off – he just got into the heart and soul of the music . . . he was a true mirror of the work he was portraying . . . It takes a really sensitive and a truly great musician to understand those works and to convey that understanding to an audience.

Roedd Noel, wrth ddyfynnu, yn cyfeirio at allu ei gôr ond roedd aelodau'r côr yn gweld rhinweddau rhyfeddol Noel Davies yn disgleirio'n glir a llachar yn y geiriau grymus hyn.

157

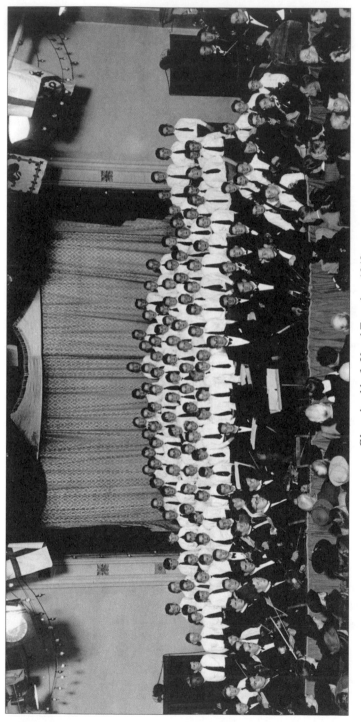

Côr a cherddorfa Ysgol Tre-gŵyr, 1940au
Gowerton School choir and orchestra, 1940s

Maestro